DALIDA

UNE ŒUVRE EN SOI

MICHEL RHEAULT

DALIDA
UNE ŒUVRE EN SOI

Éditions Va bene

Les Éditions Nota bene remercient le Conseil des Arts du Canada,
la SODEC et le ministère du Patrimoine du Canada
pour leur soutien financier.

L'auteur et l'éditeur remercient le journal *Écho Vedettes*
qui a gracieusement fourni les photographies qui illustrent ce livre.

Va Bene est une division des Éditions Nota bene.

ISBN : 2-89518-111-X

Je dédie ce texte à Mathieu Samson et à Lucas Prud'homme-Rheault, mes fils de cœur et de corps ; je le dédie aussi à Johanne Prud'homme, ma compagne immémoriale, l'expression vivante de la fécondité.

J'ai porté bien des noms en ce monde et revêtu bien des visages ; je suis une multitude [...]. Dieu jugera si, dans sa diversité, cette femme-là fut vraie.

Françoise CHANDERNAGOR

PROLOGUE

L'odeur de l'encre. Il fut un temps où je la respirais, m'en soûlais. Sitôt que je saisissais un livre, une revue, même un journal, mon premier réflexe était d'en renifler les pages. L'odeur de l'encre, c'était le parfum des mots. Le lieu de tous les possibles, l'essence des rencontres passées et à venir. La vie, et rien d'autre. Puis un jour, abruptement, l'encre s'est chargée de vapeurs acidulées, vives, violentes. C'était un jour de mai. Le 7 mai 1987.

J'avais jusque-là l'habitude de fureter régulièrement dans les rayons d'une Maison de la presse *de Montréal. J'achetais peu, faute de moyens. Je lisais sur place avec la bénédiction du commis, un étudiant en littérature qui se faisait tolérant, porté lui aussi à s'enivrer des effluves que charriaient jour après jour les cargaisons de papier qu'il avait charge de déballer et de placer sur les présentoirs. Je feuilletais les journaux français, les revues allemandes et italiennes, m'intéressais à tout et à rien ; avec en sourdine, toujours, l'espoir de découvrir un feuillet, une photo, une entrevue peut-être, un article qui me renseignerait un peu sur le présent de Dalida. À chaque semaine sa maigre récolte : j'amassais lentement dans mon grenier les reportages de* France-soir*, les échos du* Monde *et les entrefilets de* Libération*. De même que les bouillies indigestes d'*Ici Paris *ou d'*Oggi*. J'engrangeais sans distinction, pour le plaisir... et en prévision du bouquin que je finirais bien un jour par consacrer à la chanteuse. Un jour... Quand je serais grand.*

Ce livre, je l'entrevoyais différent de ceux que j'avais déjà lus. Ne serait-ce que parce que je ne connaissais ni Dalida ni les membres de son entourage, j'étais forcément mal placé pour prétendre révéler des pans de son intimité, l'un ou l'autre de ses secrets les mieux enfouis. Je savais donc que je n'occuperais jamais la position du biographe ; d'ailleurs, je n'en voyais pas l'utilité puisque d'autres exerçaient – exerceraient sans doute – cette fonction. Dans ces conditions, le regard que je porterais sur elle concernerait essentiellement son travail. Les considérations biographiques, inévitables, je ne les ferais intervenir que dans la mesure où elles seraient inextricablement liées à son parcours professionnel. Je ne devrais y recourir que si elles me permettaient de mieux dessiner les contours de son personnage, que si elles m'aidaient à mettre en lumière le choix de ses chansons, les particularités de son interprétation et les marques de son jeu scénique. Autrement dit, j'envisageais d'adopter le point de vue de l'essayiste. Dans cette optique, le texte à venir résulterait d'une ecoute attentive des chansons de Dalida, d'interminables séances de visionnement d'émissions télévisées, de fouilles multipliées dans les archives des bibliothèques, de semaines entières à parcourir des kilomètres de microfilms pour en extraire « la substantifique moelle » chère à Rabelais. Lectures, découpages et recoupements : autant de points de repère pour une promenade à travers les territoires inexplorés de l'espace-Dalida.

Le produit fini, je l'espérais, devrait bousculer les idées reçues, ébranler les préjugés dont Dalida était l'objet, elle que d'aucuns croyaient connaître sans même fréquenter son répertoire. Je rêvais de mettre en mots une vision différente de la chanteuse, un point de vue décoiffant, apte à convaincre jusqu'aux plus sceptiques de la valeur de son travail. Apte, aussi, à surprendre ses admirateurs inconditionnels. Je savais, évidemment, qu'on ne réinvente pas la roue. J'étais conscient, ça va de soi, que les adeptes du petit catéchisme dalidien retrouveraient parfois dans mon livre la mention de faits qui leur étaient familiers. Notamment les principaux jalons de sa carrière, qu'il me faudrait à mon tour rappeler brièvement.

Une simple affaire de clarté. Mais ce que certains de mes lecteurs connaîtraient de Dalida, il était clair dans mon esprit que j'en parlerais autrement ; que je m'attarderais longuement à des détails que d'autres n'auraient signalés que distraitement, ou qu'ils auraient carrément négligés. Mon texte verserait dans l'inédit dans la mesure où il livrerait un point de vue singulier sur le sujet. Un point de vue, du reste, émaillé de plusieurs éléments neufs, repêchés là où nul ne se serait encore aventuré à suivre les traces de la chanteuse.

Toutefois, si je privilégiais à l'avance l'angle de l'analyse, je ne voulais pas pour autant donner à lire un texte désincarné. Proposer une lecture analytique, certes. Faire de Dalida le sujet d'une étude consistante : oui. Mais cela sans jamais nier le lien affectif qui me retenait à elle au même titre, je présume, que n'importe lequel de ses admirateurs assidus. Si je souhaitais parler de Dalida, lui consacrer des dizaines de pages, c'est qu'elle me touchait. C'est que son étrange voix d'androgyne me traversait. Et que sa présence en scène – parfaitement tragique – me renversait. Ainsi, je rêvais d'étudier le phénomène, mais non pas à distance. J'aspirais à proposer de son travail une lecture réfléchie, mais sensible ; résultat d'une analyse serrée et de quelques impressions plus ou moins subjectives. Tout compte fait, j'espérais faire œuvre de dissection, sans complaisance mais avec un infini respect. J'avoue cependant qu'à observer la manière dont Dalida vieillissait, « évoluait », il m'arrivait de craindre que l'opération ne tourne à l'autopsie. Dois-je le préciser, j'aurais donné cher pour que mes appréhensions restent sans fondement.

Toujours est-il que le 7 mai 1987 (le jour de son enterrement), le sac contenant l'ensemble de mes achats pesait lourd. La récolte avait été bonne... Trop bonne ! Tous les journaux d'Europe, tous les magazines, des plus insipides aux plus respectables, tous traitaient de l'événement qui défrayait la chronique : la mort de Dalida.

Allege d'une centaine de dollars, je marchais vers le café adjacent à la boutique, pressé de déchiffrer les mots qui, pour l'heure, risquaient de m'étourdir plus que de m'instruire. Je me souviens d'un malaise, d'un vertige. La peine, bien sûr. Et la douleur de ne pas savoir vivre le deuil au grand jour. A-t-on raisonnablement le vertige parce qu'une chanteuse est morte ? Une chanteuse, et encore ! S'il s'était agi de Barbara : peut-être. Ou de Colette Magny, pourquoi pas ? Mais Dalida... Mon sac me pesait. Pas tant à cause de son poids qu'à cause de l'odeur qu'il exhalait. Une odeur connue mais pourtant étrangère. Une odeur indéfinissable. L'odeur de l'encre. Désormais celle de la mort.

Il me faudrait du temps pour remettre les pieds spontanément dans une Maison de la presse. *Plus de temps encore pour y retrouver les traces des plaisirs anciens. En attendant, j'aurais remballé mon sac sans l'avoir dénoué. Remballés par le fait même, et pour longtemps, les journaux, les revues. Je lirais tout ça plus tard. Lorsque le temps, comme on dit, aurait fait son œuvre. Lorsque le mal de cœur se serait dissipé. Lorsque les mots, de nouveau, s'animeraient du pouvoir qu'ils avaient hier exercé sur moi. Lorsque je redécouvrirais avec bonheur leur couleur, leur texture, et que j'aurais, encore et plus que jamais, l'envie d'écrire un livre à la mémoire de la chanteuse à paillettes.*

La couleur des mots, leur texture. Mais jamais plus leur parfum.

1

LA FEMME DE PAPIER

TRACES DE DALIDA DANS LA MÉMOIRE COLLECTIVE

« Nous avons tous une Dalida dans la mémoire[1] ». Ces mots signés Pascal Sevran figurent dans la préface du bouquin qu'il consacre à la chanteuse en 1976. Un ouvrage qui, s'il se soumet aux lois de la biographie traditionnelle, n'en livre pas moins un portrait touchant de l'artiste, femme complexe écartelée entre l'envie de plaire au plus grand nombre et le désir de vivre en accord avec elle-même ; personnage multiforme auquel il serait difficile, en toute honnêteté, d'apposer une étiquette. Car Dalida est toujours là où on ne l'attendait pas. Simple et grave sur une scène nue, elle se fait tragédienne au service de Mikis Théodorakis ou de Léo Ferré quand on la croyait perpétuellement vouée aux chansons commerciales et aux rythmes à la mode. Clinquante et pailletée sur la scène gigantesque d'un centre sportif, elle se transforme en meneuse de revue à l'américaine lorsqu'elle commençait à imposer, même aux plus sceptiques, la sobre intelligence de son répertoire. Ultime métamorphose, elle apparaît pudique et démaquillée au cinéma, héroïne pathétique d'un drame égyptien pour cinéphiles avertis quand on la pensait rivée au music-hall et à ses artifices. Même morte, elle

1. Pascal SEVRAN, *Dalida – La gloire et les larmes,* Paris, Guy Authier éditeur, 1976, p. 13.

étonne. On l'imaginait à jamais reléguée aux biographies typiques et à la presse du cœur, et voilà qu'elle ressuscite, cassée mais lucide, protagoniste de la nouvelle « Dernier soliloque » d'Andrée Chedid :

> *Ce soir, plus rien ne compte que la minute présente. Je me sens calme, tranquille. Je vis cette situation insolite comme un événement normal. Comme si tous les mouvements de mon existence – ses tumultes, ses apaisements – m'avaient menée, peu à peu, jusqu'à ce point de non-retour*[2].

Ce récit aux allures testamentaires nous fait partager les derniers moments d'une artiste célèbre ; une « vedette de music-hall depuis trois décennies[3] », qui dresse pour elle seule le bilan de son parcours avant de se suicider en absorbant une surdose de barbituriques. Créature sans nom, elle ne dissimule pourtant qu'à demi la personnalité de Dalida : « Ne pouvant programmer de mourir sur scène, du moins j'aurai choisi le jour et l'heure de ma sortie. [...] Ciao bambino ! Ciao ![4] ». Dans ce seul passage, se succèdent quatre références à peine voilées au répertoire de Dalida. D'une part, une allusion à *Mourir sur scène*, chanson créée en 1983 et reprise sur la dernière plage de son ultime microsillon. En

2. Andrée CHEDID, « Dernier soliloque », dans *Mondes Miroirs Magies*, Paris, Flammarion, 1988, p. 37.
3. *Ibid.*, p. 41.
4. *Ibid.*, p. 45.

outre, ce « Ciao bambino ! Ciao ! » qui rappelle simultanément *Bambino,* son premier succès discographique, et *Ciao ciao bambina,* autre titre-phare de ses jeunes années (d'ailleurs retenu pour clôturer ses obsèques à l'église de la Madeleine, le 7 mai 1987). On songe aussi à *Ciao amore ciao,* chanson tragique s'il en est ; une œuvre du chanteur italien Luigi Tenco que ce dernier présente avec Dalida, sa compagne, au Festival de la chanson de San Remo, en 1967. Quelques heures après leur prestation, il se donne la mort. Un mois plus tard, Dalida tente à son tour de s'enlever la vie. Une chanson hantée.

Derrière la narratrice du texte de Chedid, surgit l'ombre de Dalida. Une femme de papier, le spectre littéraire d'une chanteuse connue qui se souvient des épreuves de sa vie amoureuse marquée par le suicide, lorsque « c'était la mort – violente, parfois voulue – qui brisait la rencontre[5] ». Et qui regrette, comme on l'a rapporté mille fois, de n'avoir « été la mère d'aucun enfant[6] ». Qui se plaît, avant de mourir, à coiffer une dernière fois sa « chevelure mordorée[7] ». Dalida est là, tapie entre les pages, semblable à ce qu'on sait d'elle. Vivante et… fictive.

Si l'on s'étonne qu'une écrivaine de la trempe d'Andrée Chedid rende un tel hommage à celle qui, depuis 1956, suscite autant de sarcasmes que d'éloges, on le comprend déjà mieux en soulignant

---

5. *Ibid.,* p. 44.
6. *Ibid.,* p. 45.
7. *Ibid.,* p. 46.

ce qu'ont en commun les trajectoires de l'auteure et de son modèle : l'enfance égyptienne, le choix de la France comme terre d'accueil. Et le croisement de leurs talents respectifs lorsque le roman *Le sixième jour* d'Andrée Chedid, publié en 1960, devient grâce à Youssef Chahine un long métrage dont Dalida incarne le premier rôle ; une œuvre qui (on le verra peu à peu) résume si bien la vedette qu'elle fait pour elle, *a posteriori*, office de testament.

* * *

L'épreuve de réalité

« Au village, personne ne m'a reconnue ». Lorsque j'entends Dalida prononcer cette réplique pour la première fois, c'est le soir du 28 août 1986, lors d'une projection du film Le sixième jour *de Youssef Chahine dans le cadre de la dixième édition du Festival des films du monde de Montréal. La phrase est de circonstance puisque, de fait, elle sort de la bouche d'une Dalida presque méconnaissable à l'écran. Dans le rôle d'une grand-mère égyptienne, elle apparaît vêtue d'une djellaba noire, les cheveux dissimulés sous un voile opaque, et le visage nu, sans maquillage, qui laisse voir de fines ridules autour de sa bouche et aux commissures de ses lèvres. Rien à voir avec l'image de femme fatale qui la caractérise. Ceux qui ne*

connaîtraient d'elle que son portrait parfaitement léché resteraient bouche bée devant ce visage au naturel ; ce visage différent de celui qu'elle exhibe lors de ses fréquents passages télévisés, celui dont les cadreurs atténuent parfois les imperfections grâce à un filtre judicieusement fiché devant la caméra. Son visage sans fards, elle le prête à Saddika, personnage né de la plume d'Andrée Chedid et rapatrié par Youssef Chahine.

Chahine est l'un des plus célèbres réalisateurs du monde arabe. Artiste exigeant, réputé pour faire du cinéma d'auteur, il en appelle à la disponibilité intérieure et à la curiosité intellectuelle du public, préalables absolus à la compréhension de son travail. Ses films, elliptiques, nécessitent une écoute attentive, voire une lecture rétroactive. Pour Le sixième jour, *destiné à moyen terme aux cinémas de répertoire, il a retenu les services d'une chanteuse populaire davantage habituée aux records de vente qu'aux succès d'estime. Même s'il n'avait encore jamais travaillé avec Dalida, qu'il connaît depuis trente ans, il lui a fait confiance, sûr de ce dont elle était capable. Elle, en acceptant de jouer le jeu, savait immanquablement qu'une large part de son public risquerait de ne pas la suivre ; qu'il aurait du mal à comprendre ce qu'elle ferait dans cette galère, ce film noir, dédaléen, en dissonance avec le velouté de son image trop lisse. Elle savait qu'il aurait du mal à la reconnaître dans ce personnage fictif diamétralement opposé à ce qu'elle est pour lui dans la « réalité », c'est-à-dire sur scène ou à la télévision. Privé de ses repères, le grand public remarquerait-il que Dalida, à l'abri sous les voiles de la fiction, ne s'était peut-être jamais présentée à lui sous un jour aussi vrai ? Soupçonnerait-il que Saddika n'était probablement nulle autre que Dalida délestée de ses fards ? Et saurait-il que les phrases de Saddika, coupantes, parfois brutales, le renvoyaient à celles, tout aussi chirurgicales, que Dalida chantait dans les moins connues de ses chansons, celles qui, négligées par les radios, ne gravissaient jamais les échelons des palmarès ? Et si la Saddika de Chedid et Chahine n'était autre que la véritable Dalida ? D'ailleurs, le mot « Saddika » ne provenait-il pas de la même racine que le terme « sadaka », ce vocable arabe qui renvoie aux concepts de vérité, de sincérité ?*

« Au village, personne ne m'a reconnue ». Moi-même, d'une certaine façon, je me suis fait prendre au piège ce soir-là. Si j'ai su déjouer les ruses de Chahine (j'en ai du moins le sentiment), je me suis bêtement entortillé dans les filets du réel. Assis dans mon fauteuil, quelques minutes avant le début de la projection, je tuais le temps en

regardant le public entrer dans le théâtre, lorsque j'aperçus parmi la foule une femme vêtue très simplement ; une femme aux cheveux longs, à peine maquillée. Je remarquai que cette femme-là ressemblait vaguement à Dalida (dont la présence au festival n'avait pas été annoncée par les médias). Elle lui ressemblait, en effet. Ou plutôt, elle se ressemblait. Pas suffisamment, toutefois, pour que je la reconnaisse. Je devais comprendre à ce moment-là qu'il était difficile de faire subir au personnage Dalida l'épreuve de réalité. Dans cette salle où j'étais venu pour elle, je ne l'avais pas reconnue. Elle m'avait échappé, sans doute parce qu'elle avait surgi là où je ne l'attendais pas. Et sous une forme que je ne lui connaissais pas.

*
* *

EMPREINTES ET EMPRUNTS

De façon plus ou moins diffuse, et dans des registres tout à fait différents, d'autres écrivains inscrivent Dalida au centre d'un espace fictionnel, l'intègrent à des textes qu'il n'est possible de découvrir qu'au hasard des lectures. (Il n'existe en effet, on s'en doute, aucun répertoire des différentes représentations littéraires de la chanteuse.) C'est ainsi qu'on voit rôder la vedette entre les lignes du roman *Si aimée, si seule,* de Madeleine Chapsal[8]. Un livre publié en 1990, et dont le titre renvoie à celui d'un dossier de la revue *VSD*[9] consacré à l'interprète à la suite de son décès. L'héroïne de ce livre, une star de cinéma en détresse, se fait appeler Diva ; prénom qui rappelle le surnom attribué à Dalida par ses proches[10]. Prénom qui rappelle aussi un restaurant italien de Paris, *La Diva,* dont le logo donne à voir le portrait stylisé de la chanteuse[11]. Comme Dalida, la Diva de Chapsal est fille du soleil, et sa trajectoire la mène de l'anonymat à la célébrité. Comme Dalida, elle apparaît perpétuellement déchirée entre une vie publique réussie et une vie intime marquée par les amours en friche, la solitude et la stérilité (conséquence d'un avortement). Comme Dalida, encore, à qui elle pense aux moments les plus douloureux de son existence, elle explore par l'analyse les méandres de son inconscient, animée par le désir d'accéder à la paix intérieure. Comme Dalida, enfin, elle en vient à se donner la mort en implorant sur papier le pardon de ses proches. À défaut d'être le double de Dalida façon Chedid, l'héroïne du roman est sa jumelle ; jumelle, aussi, de toutes les stars brisées, victimes

---

8. Madeleine CHAPSAL, *Si aimée, si seule,* Paris, Fayard, 1990, 417 p. (Réédition dans la collection « Le livre de poche », 1991, 478 p.)

9. *VSD,* semaine du 6 au 13 mai 1987 – titre du dossier à la une.

10. Pascal SEVRAN, *op. cit.*, p. 217-218.

11. Information recueillie dans le magazine *Dédié à toi,* n° 11 (octobre 1988), Association Dalida.

du syndrome de Marylin. Une parenté évidente, d'ailleurs revendiquée par l'éditeur en quatrième de couverture de la réédition du roman en format poche : « Un destin inspiré par celui de femmes réelles – Marylin Monroe, Dalida ».

Plus fugace est l'apparition de la chanteuse dans le roman *D'Amour, P.Q.* du Québécois Jacques Godbout ; un texte pétaradant issu de la contre-culture, publié au Seuil en 1972. Le temps d'une scène bardée de clins d'œil au music-hall, scène issue de l'imaginaire débridé du romancier fictif Thomas D'Amour, on aperçoit Dalida qui surgit soudainement, dans une posture pour le moins insolite :

> *Au couplet, Dalida arrive à dos de chameau, l'air plus effrayé qu'inspiré, elle est suivie de quatre Écossais qui jouent du bagpipe.* [...] *Dalida entonne le second couplet face au soleil de papier mâché qui se dandine au bout d'un fil de laiton*[12].

Le décor rappelle l'Égypte, terre natale d'une chanteuse qui se glisse décidément dans les œuvres les plus disparates : prose relevée de Chedid, roman populaire de Chapsal, écarts contre-culturels de Godbout. Sans oublier cet autre personnage nommé Dalida, qu'on rencontre cette fois dans une nouvelle de Jean Gagnon intitulée « Strip-tease », un texte qui s'inscrit dans le courant de l'écriture

---

12. Jacques GODBOUT, *D'Amour, P.Q.*, Paris, Seuil, 1972, p. 90.

underground des années 1980. Entre ces pages particulièrement hermétiques, publiées quelques mois à peine après la disparition de l'interprète, circule une Dalida suicidaire, danseuse nue au cabaret Cléopâtre ; une femme marginale, miroir tronqué de celle qu'on connaît : « [...] "Dalida" aux cheveux courts, foncés, recevant en son cœur le baptême du feu alors que l'Égyptienne de ce nom quitte cette vallée de larmes[13] ». De nouveau, l'Égypte. Le berceau de la star. De nouveau, aussi, le suicide. Récupéré, rêvé, transformé pour le bénéfice de la fiction.

*
* *

La rumeur de la mort

La mort. Même de son vivant, il était pratiquement impossible d'oublier que la faucheuse faisait partie de la vie même de Dalida. À cause de sa tentative de suicide ratée, à cause de la disparition brutale de trois de ses conjoints, mais aussi, et surtout, parce que certaines de ses chansons laissaient sourdre les bruissements de la mort et de la solitude entrelacées. Cette œuvre, entre autres, signée Sébastien Balasko sur une musique de Daniel Faure : ***Pour ne pas vivre seul, on vit pour son argent, ses***

13. Jean GAGNON, « Strip-tease », *Moebius,* n° 34 (automne 1987), p. 42.

rêves, ses palaces, mais on n'a jamais fait un cercueil à deux places... *L'image du cercueil pour deux, je l'ai gardée longtemps en mémoire. Lorsque enfant elle me fut assenée pour la première fois, je l'avais trouvée parfaitement insupportable. Irrecevable, point à la ligne. Dalida chantant* Gigi L'Amoroso *ou* Paroles paroles, *ça allait. Ça allait même très bien. Mais* Pour ne pas vivre seul, *chanté avec des sanglots dans la voix et de grands mouvements de bras, ceux d'une mauvaise marraine de conte de fée qui jette un sort au bébé naissant, je ne pouvais pas. Dire que cette chanson-là m'a impressionné relève de l'euphémisme. Elle m'a poursuivi, s'est attachée à moi jusqu'à ce que je vieillisse un peu et que je parvienne à m'en débarrasser comme d'une peau morte.*

Au sortir de l'adolescence, au moment d'entreprendre des études en littérature, l'image du cercueil à deux places m'est soudainement apparue pour ce qu'elle était : une phrase forte, digne d'un poète majeur ; une phrase que, j'en étais sûr, beaucoup d'écrivains auraient aimé avoir écrite, comme plusieurs autres que Dalida chantait sans qu'on les entende à la radio. Des mots-matraques, l'attaque d'un adversaire qu'on n'a pas vu venir et qui nous prend à la gorge. « Le cercueil à deux places », c'étaient les mots de la mort qui nourrissaient l'énigme Dalida, soutenaient sa légende mais, plus encore, lui permettaient de se montrer nue sans étaler les détails de son intimité. « Le cercueil à deux places », c'est ce qu'on aurait voulu lui donner, à l'instant de la mettre en terre. Parce qu'à la manière dont elle chantait ça, et tant pis si je me trompe, elle ne pouvait que se mettre elle-même en scène, nous indiquer à mots couverts l'une des clés de son mystère. « Le cercueil à deux places », c'était le cri noir de l'oiseau pleureur, fragile comme le papier-poudre des livres écornés qui résiste à peine à la friction de la plume. Le cri d'une femme qui, tout au long de sa vie, aura chanté sa mort, l'aura même inventée avant de poser ce geste décisif qui lui permet désormais de reposer à l'ombre de la fiction.

* * *

LE FLOU BIOGRAPHIQUE

Que Dalida traverse un certain nombre d'œuvres littéraires apparaît comme un phénomène tout à fait normal si l'on considère que la chanteuse, malgré les preuves incontestables de son incarnation, est bel et bien un personnage. Un personnage public, construit à force de travail, de talent… et de commentaires biographiques plus ou moins exacts. Qu'on se le dise : plusieurs chapitres de la vie écrite de Dalida sont parsemés d'ambiguïtés, d'incongruités, voire de mensonges. En témoignent, entre autres, les remarques parfois contradictoires sur ses pulsions suicidaires. De fait, tandis qu'on rapporte généralement une seule tentative avortée, celle de 1967, l'énigmatique biographe Catherine Benoit-Sévin en rapporte une seconde, cachée, qui daterait de 1985[14]. Mais d'autres incohérences circulent au sujet des drames qui ont affecté l'artiste. Alors que dans les dernières années de sa vie comme après sa mort, la presse française s'acharne à geindre sur le drame secret (?) de Dalida, celui de n'avoir jamais pu être mère, conséquence de sa stérilité et de la presque impossibilité légale pour une vedette d'envisager l'adoption, le magazine *Gente* raconte aux Italiens que la chanteuse décédée laisse dans le deuil son fils adoptif de vingt-quatre ans[15]. Il faut croire qu'on juge le public italien davantage enclin à compatir aux souffrances de la « veuve noire » qu'aux chagrins de la mère

---

14. Catherine Benoit-Sévin, *Lorsque l'amour s'en va*, Paris, Michel Lafon/Carrère, 1987, 270 p. N.B. : le même texte est réimprimé en 1997 chez le même éditeur. À la différence cependant qu'il s'intitule cette fois *Les larmes de la gloire*... et que son auteur a vraisemblablement changé de sexe entretemps, revêtant cette fois l'identité de Bernard Pascuito. (Outre le changement de titre, le second livre se distingue du premier par une discographie et par un cahier photos légèrement remaniés.)

15. « Dalida : "Non supporto più la vita" », *Gente*, vol. 31, nº 19 (15 mai 1987), p. 8-15.

potentielle privée de descendance. Que la vérité soit ou non au rendez-vous importe peu : l'essentiel est d'émouvoir, et d'auréoler la star d'un mystère apte à la sanctifier.

Le mystère plane en outre au-dessus de ses origines. Née en Italie mais élevée en Égypte par des parents qui auraient immigré au Caire juste après sa naissance, ou née en Égypte de parents eux-mêmes issus d'ancêtres immigrés, la confusion est totale, comme le souligne avec justesse Ariane Ravier dans son livre-témoignage *Dalida passionnément,* un ouvrage fascinant qui, s'il était expurgé du nombre impressionnant d'erreurs typographiques qui le traversent, mériterait à coup sûr une réédition tant il se situe en marge du discours biographique classique :

> [...] *Italie ou Égypte, Égypte ou Italie. Les parents sont italiens* [*sic*], *ça, c'est sûr. Au début de sa carrière, on a dit que Dali était née en Italie, par mode ou par erreur. Ces derniers temps, elle défendait le contraire. Et en chœurs* [*sic*], *les fans purs et durs : « Alors pourquoi est-elle citoyenne d'honneur de Serrastrata (petite ville de Calabre) ? » Non lo se*[16].

C'est toutefois lorsqu'il s'agit d'évoquer les circonstances de sa mort que les commentaires se font le plus délirant. Nul doute que la palme, ici, revient

16. Ariane Ravier, *Dalida passionnément,* Paris, Zélie, 1994, p. 142.

aux auteurs d'un ouvrage tape-à-l'œil dont le titre, *Étoiles filantes,* renvoie au destin brisé d'une dizaine de personnalités publiques. Sous le couvert d'un récit objectif, c'est une véritable fiction qui s'érige. Une fiction, de surcroît, d'un goût pour le moins douteux :

> *Une larme coule le long de sa joue, puis une autre... « Pourquoi faut-il que je sois tellement seule, tellement malheureuse ? », murmure-t-elle à la nuit, sa seule compagne, les mains crispées sur la balustrade de la terrasse et le regard perdu vers un au-delà du néant*[17].

Ne reculant devant rien, les auteurs mettent tout en œuvre pour que la narration détaillée des gestes qui précèdent le trépas de la chanteuse fasse frissonner le lecteur ; lequel risque davantage de sourire que de se laisser submerger par l'émotion :

> *D'un trait, Dalida, en silence, engloutit la dose* [de whisky] *dont elle sait qu'elle va décupler l'effet meurtrier des puissants barbituriques, conservés dans un tiroir de la salle de bains, au cas où...*
> *Sachant qu'elle n'a plus alors que quelques minutes à vivre avant de sombrer dans un irrémédiable coma, Dalida, le visage à présent reposé à l'idée même de ce sommeil*

17. Arnaud FOLCH et Jean-Émile NÉAUMET, « Dalida – Loin des yeux, loin du Caire », dans *Étoiles filantes,* Paris, Zélie, 1994, p. 122.

éternel, saisit un petit bout de papier et un stylo qui traînent à côté de ce téléphone auprès duquel elle a si souvent attendu[18].

Pour un peu, on envierait presque les auteurs de cette rêverie biographique d'avoir été les témoins privilégiés des derniers moments de Dalida ; des moments qu'elle a pourtant, vraisemblablement, vécus dans une absolue solitude. Ce texte, un sommet dans le genre, pourrait faire l'envie des rédacteurs de *France Dimanche,* eux qui ne manquent pas non plus d'imagination quand il s'agit de décrire le suicide de la vedette :

> *Dans la villa déserte, elle s'est changée, passant une légère chemise de nuit blanche. Prenant un papier et un crayon, elle a tracé ces mots d'adieu : « La vie m'est insupportable. Pardonnez-moi. »* [...] *Puis elle est allée chercher les boîtes de barbituriques et s'est servi un verre de whisky. Ces boîtes, après les avoir vidées, Dalida a pris soin d'aller les jeter dans la poubelle de la salle de bain. Ce n'était pas parce qu'elle ne reverrait jamais sa maison qu'il fallait qu'il y ait du désordre*[19].

On reste pantois devant la finesse de l'analyse ! Est-il nécessaire de commenter plus amplement ? Qu'il suffise de rappeler que l'existence réelle de Dalida

---

18. *Ibid.*, p. 126-127.

19. Article paru dans *France Dimanche,* n° 2123 (11 au 17 mai 1987), p. 2.

nous échappe, nous échappera toujours ; qu'elle nous restera insaisissable au même titre que celle de n'importe quelle figure emblématique ancrée dans la mémoire collective. De Dalida chanteuse populaire, on a voulu faire une légende. Et les légendes, par définition, reposent sur une part de vérité et sur un tissu de fantasmes. Fantasmes des fans, des admirateurs ; fantasmes des biographes chargés de produire et d'entretenir une histoire officielle modulée par d'infinies variations. À ces multiples inventions, je préfère celles des littérateurs qui ne prétendent aucunement rendre compte de la réalité. Et je préfère entre toutes celle d'Andrée Chedid, parfaitement discrète (Dalida n'est nommée nulle part) et ouvertement imaginaire, qui se borne à interroger le réel, à s'en inspirer pour en faire surgir tous les possibles insoupçonnés : « Absente des abysses du passé, comme des mouvements de l'avenir : si peu, si brièvement d'ici, aurai-je seulement existé ?[20] ».

* * *

Le poids du personnage

Dalida est à la chanson ce que George Sand est à la littérature : un débordement, un trop-plein. Une vie si riche d'événements tragiques et d'histoires d'amour sulfureuses

---

20. Andrée CHEDID, *op. cit.*, p. 40.

qu'elle prend le pas sur une œuvre foisonnante, excessive, injustement dévaluée par les exégètes. À trop se rappeler l'existence romanesque de l'une et de l'autre, on néglige ce par quoi elles ont fait leur marque : leur travail. Très peu de gens ont parcouru en profondeur l'œuvre de George Sand. À l'exception de La mare au diable *et de* La petite Fadette, *qu'on inflige encore aux écoliers, on lit rarement les ouvrages profondément novateurs et magistralement écrits de la dame de Nohant, dont on retient plus aisément les frasques et les amours débridées avec quelques figures illustres du XIXe siècle.*

Trop peu de gens connaissent le répertoire de Dalida. Mis à part certains succès qu'on nous a balancés à cœur de jour à la radio, on ignore souvent que la dame de Montmartre a donné vie à de grandes et fortes chansons qui mériteraient enfin de sortir de l'ombre où elles croupissent depuis leur création. Oui, Dalida est à la chanson ce que Sand est au patrimoine littéraire français. Leurs œuvres sont titanesques : des centaines de chansons chez l'une, des dizaines de bouquins chez l'autre. Une outrance à l'origine du pire comme du meilleur : Sand a écrit des chefs-d'œuvre et publié des brouillons, Dalida a enregistré des perles et gravé du toc. Conséquence normale de l'incommensurable générosité de deux artistes viscéralement romantiques, dont les œuvres tentaculaires et maniaco-dépressives, à la fois dépendantes et distinctes de leur vie, réclament, pour qu'on leur rende justice, d'être enfin considérées pour elles-mêmes, dans leur globalité.

*
* *

TRACES ÉPARSES

« Nous avons tous une Dalida dans la mémoire ». Sur ce point, je donne entièrement raison à Pascal Sevran en dépit des réserves que m'inspire parfois son discours emphatique. Artiste aimée et détestée, louangée et raillée, Dalida reste l'une des plus flamboyantes représentantes du music-hall français d'après-guerre : un authentique monstre sacré, qui aura laissé sur son passage des traces si nombreuses qu'on n'en finira pas de sitôt de les recenser. La figure de Dalida se sera infiltrée dans les interstices de la mémoire collective, aura marqué des territoires dont on n'imaginait pas qu'elle puisse jamais les investir. Sa présence au cœur de l'espace littéraire en est la preuve. La présence de ses chansons aussi, certaines d'entre elles étant citées par des auteurs qu'on ne soupçonnait pas du crime de les avoir écoutées. Je pense entre autres à Denise Boucher, poète, parolière et dramaturge (on lui doit la sulfureuse pièce *Les fées ont soif*). Lorsqu'elle publie en 1987 ses *Lettres d'Italie,* recueil de missives expédiées d'outre-mer à ses compatriotes québécois, elle insère dans ses lettres au poète Claude Beausoleil et à la chanteuse Pauline Julien des allusions à *Gigi L'Amoroso* :

> *Pour ce qui est de Gigi L'Amoroso, il n'y était pas non plus à cette soirée de poésie où nous avons entendu un beau brummel. Mais tous les autres personnages de la chanson de Dalida y étaient. Il y avait la femme du notaire, celle du docteur, celle du pharmacien et peut-être même celle du plombier.*
> *Comme Américaine, il n'y avait que moi*[21].

Ce même Gigi se fond au héros de la chanson *Il venait d'avoir dix-huit ans* dans l'imaginaire de Daniel Pinard, auteur d'un livre de recettes peu banal, rehaussé – si j'ose dire – d'envolées littéraires généralement étrangères aux normes du genre :

> *J'avais huit ou neuf ans. Et pourtant je les revois comme si c'était hier, Luigi et Gino, inondés de soleil dans la chaleur de l'été. Luigi, récemment immigré, mains noueuses de paysan, visage basané comme du vieux cuir, ridé autour des yeux pour avoir trop souri et regardé trop souvent le soleil d'Italie en pleine face. Gino, le fils, venait d'avoir 18 ans : Gino L'Amoroso au visage d'enfant, fort comme un homme, de quoi faire pâmer Dalida*[22].

---

21. Denise Boucher, *Lettres d'Italie,* Montréal, l'Hexagone, 1987, p. 63.

22. Daniel Pinard, *Pinardises – Recettes et propos culinaires,* Montréal, Boréal, 1994, p. 9.

L'histoire de Gigi trouve encore un écho dans l'œuvre de Yolande Villemaire, figure importante de la littérature québécoise. Privilégiant plus que quiconque le recours à l'intertextualité, ponctuant ses œuvres d'innombrables références à des textes issus à la fois de la culture institutionnelle et de la culture de masse, elle intègre à son roman *La vie en prose* quelques lignes de ce qui restera sans doute le plus important succès populaire de Dalida :

> *Je m'assois sur les chaînes de trottoir et je regarde le monde. C'est chaud et humide comme dans les pires journées d'été à Montréal. J'ai mal à la gorge mais je chante « Une riche américaine/à grands coups de je t'aime/lui proposa d'aller jusqu'à Hollywood » à l'espèce d'imbécile heureux qui vient de s'asseoir à mes côtés, sur le trottoir, et qui m'écoute chanter*[23].

Villemaire récidive en 1983 avec un autre extrait de *Gigi L'Amoroso,* cité cette fois dans la transcription de sa dramatique radiophonique *Belles de nuit* :

> *Une fois, au party de fête de Martine, j'ai même chanté* Gigi L'Amoroso *au complet, avec les bouts parlés pis toute pendant un black out.* (Elle chante le début de la chanson.) *« Je vais vous raconter/ Avant de vous*

23. Yolande Villemaire, *La vie en prose,* Montréal, Les Herbes Rouges (coll. « Typo »), 1984, p. 28. (L'édition originale date de 1980.)

quitter/ l'histoire d'un p'tit village près de Napoli… »[24]

Jamais deux sans trois, elle réfère encore à Dalida dans la dramatique *Un jour de printemps l'hiver,* à la différence qu'elle cite cette fois une chanson méconnue, un superbe texte écrit par Sébastien Balasko, l'un des meilleurs paroliers de la vedette :

> […] *Et maintenant, spécialement en l'honneur de la fêtée, Dalida !*
> *On entend la chanson « Nous sommes tous morts à vingt ans ».*
>
> > *Nous sommes tous morts à vingt ans*
> > *En effeuillant la fleur de l'âge*
> > *Pendus à l'arbre du printemps*
> > *Dans le plus beau des paysages* […]
> > *Pourquoi prolonger sa jeunesse*
> > *Pourquoi jouer à être encore*
> > *L'amour est mort et la tendresse*
> > *S'est suicidée de corps en corps…*[25]

Ce titre cité par Villemaire est de ceux qui font reculer les barrières opposant, souvent à tort, la poésie à la chanson populaire. On comprend sans peine qu'il ait frappé l'attention de l'auteure, comme il a frappé celle de l'écrivain Jean-Paul Daoust. Celui-ci,

---

24. Yolande VILLEMAIRE, *Belles de nuit,* Montréal, Les Herbes Rouges, 1983, p. 24.

25. Yolande VILLEMAIRE, « Un jour de printemps l'hiver », dans *Belles de nuit, op. cit.,* p. 60-61. (Référence du texte cité : *Nous sommes tous morts à vingt ans,* texte de Sébastien Balasko, musique de Daniel Faure, éd. Technisonor/EMI Songs France, 1974.)

poète prolifique, n'hésite pas, dans les années 1970, à chanter lui-même ce *Nous sommes tous morts à vingt ans,* a cappella, lors d'une lecture publique de ses propres textes. De plus, non content de chanter Dalida et de l'imposer comme une évidence aux adeptes de sa poésie, il prend soin d'inscrire dans une brillante suite poétique, publiée en 1993, une allusion aux « Lèvres suicidées de Dalida[26] ». Huit ans plus tard, il en appelle de nouveau à l'ombre de la chanteuse dans un texte intitulé *Fantôme,* extrait du recueil *Les versets amoureux* :

> *Les années ont passé*
> *Comme dans une chanson de Dalida*
> *Il restait là*
> *Occupant toutes les chambres de mon cœur...*[27]

Chacun de ces auteurs : Jean-Paul Daoust, Yolande Villemaire, Daniel Pinard, Denise Boucher ; et Jean Gagnon, Jacques Godbout ; et Madeleine Chapsal, et Andrée Chedid (sans compter tous ceux qu'il reste à repérer), chacun a manifestement une Dalida dans la mémoire. Témoignages d'une présence chantante qui aura traversé les frontières, leurs textes nous rappellent – puisse-t-on ne jamais l'oublier – que c'est précisément là où on ne l'attendait pas qu'on risque le plus de croiser Dalida.

---

26. Jean-Paul DAOUST, « Lèvres ouvertes », *Lèvres urbaines,* n° 24, 1993, p. 14.
27. Jean-Paul DAOUST, « Fantôme », dans *Les versets amoureux,* Trois-Rivières, Écrits des Forges et Phi, 2001, p. 63.

*
* *

Paroles paroles…

Encore des mots, toujours des mots, les mêmes mots… *Novembre 1999, le rideau du Théâtre Denise-Pelletier de Montréal s'ouvre sur une toute nouvelle production de la pièce* Le menteur *de Corneille. Au son de* Paroles paroles, *de jeunes comédiens réunis dans une discothèque parisienne draguent d'invisibles proies en présentant le personnage qu'ils joueront sous peu dans la pièce. Un prologue déconcertant, iconoclaste, imaginé par le metteur en scène Martin Faucher pour capter l'attention du public d'étudiants auquel la pièce est destinée. L'effet est immédiat : le public est conquis.* Paroles paroles *favorise ici l'imprévisible rencontre de Corneille et de Dalida et, du coup, l'abolition des frontières temporelles entre les XVII*e *et XX*e *siècles. Dalida qui se moque d'Alain Delon, c'est le miroir d'un public qui regardera, sourire en coin, le héros de Corneille s'enliser dans le mensonge. Une référence archi-connue, un point de rencontre pour assurer au public un accès facile au texte du dramaturge classique.*

Paroles paroles, *au Québec du moins, c'est aujourd'hui davantage qu'une chanson de*

Dalida. C'est une formule passe-partout, presque un slogan. Un refrain si abondamment cité, et dans les circonstances les plus imprévues, qu'on en remarque à peine l'emprunt. De temps à autre, l'hebdomadaire culturel Voir *s'en sert pour titrer ses articles. Régulièrement, un journaliste y a recours pour ménager une chute à son texte.* « "Parole…", comme disait Dalida », *écrit un chroniqueur pour dénoncer l'hypocrisie d'un employeur malhonnête.* « On a envie de s'écrier : Tout ça pour ça !, ou de chanter avec l'accent de Dalida : "Parole, parole, parole" », *s'exclame un autre qui regrette le contenu trop peu substantiel d'un livre dont il fait la critique. J'ai même en mémoire une remarque laconique de l'ex-premier ministre du Québec, Jacques Parizeau, qui pour clouer le bec à l'un de ses adversaires lui avait rétorqué sans révéler davantage les dessous de sa pensée :* « "Paroles paroles", comme le dit la chanson ». *Preuves de la pérennité du titre et de son interprète ; indices supplémentaires de la place qu'occupe désormais Dalida dans la mémoire collective.*

2

D'ANDROMAQUE À BLANCHE DUBOIS

MOTIFS DE LA MÉMOIRE ET DU DEUIL DANS L'ŒUVRE DE DALIDA

C'est une Troyenne. C'est Andromaque en larmes devant les cadavres démembrés de son fils et de son époux ; Andromaque qui chérit la mémoire de ceux qu'elle a aimés en attendant que la mort la délivre à son tour d'une existence qui la confine au désespoir. Une Troyenne éperdue, confrontée au non-sens absolu, qui chante sa douleur comme un enfant découvrant les horreurs de la guerre, un enfant qui se frappe la tête contre les murs en hurlant, démuni, le terrible « pourquoi » condamné à rester sans réponse. C'est une Troyenne, un territoire occupé. Une femme éplorée qui porte sur ses épaules, tel un atlante, la douleur immémoriale de l'humanité piétinée. Une femme vieille de toute la souffrance du monde, la mémoire vive des douleurs archaïques que nul ne saura jamais consoler. Ses mots, ses gestes, ses intonations : tout, chez elle, concourt à dire la mémoire et le deuil, la mémoire du deuil.

* * *

LE DEUIL DE L'AMANT

Novembre 1975. En tournée à travers le Québec, Dalida présente un tour de chant qui sera partiellement diffusé à la télévision de Radio-Canada.

En pleine possession de ses moyens, la voix large et le geste sûr, la chanteuse égrène les titres marquants de son répertoire. Quelques incontournables, *Gigi L'Amoroso, Il venait d'avoir dix-huit ans*, voisinent avec des airs moins connus, notamment celui de la face A de son dernier 45 tours : *Mein Lieber Herr*[1]. La chanson raconte l'histoire d'une relation amoureuse entre une jeune Française et un soldat allemand pendant la Seconde Guerre mondiale. Il meurt à la Libération, elle perd la raison. Elle se recroqueville, s'emmure vivante, « vieille enfant aux yeux d'hiver [qui] ne parle plus, ne sait même plus qu'il y eut une guerre » ; somnambule amnésique qui ne recouvre la mémoire que sporadiquement, le temps de revivre au présent les circonstances révolues d'un passé ravageur.

Ceux et celles qui ont eu le privilège de voir et d'entendre Dalida chanter ce *Mein Lieber Herr* conviendront sans doute qu'il s'agit de l'un des fleurons de son travail scénique. Dans le corps de l'interprète, en symbiose apparente avec son personnage, c'est la folie faite femme qui rugit sur scène. Tout y est : le corps qui se cabre, la sueur qui perle sur son visage, les mains qui tremblent et fourragent désespérément dans sa chevelure-rideau, la voix qui sanglote sans affectation. Tout participe à l'effondrement de la chanteuse qui ne dispose ensuite que de quelques secondes d'applaudissements pour changer de peau. On pense à

1. *Mein Lieber Herr*, texte de Michaële, musique de Lana et Paul Sébastian, éd. C. Carrère/S. Capocci, 1975.

Brel, ruisselant de transpiration quand il chante *Ne me quitte pas.* Ou à la Piaf des *Blouses blanches* qui gueule pour nier sa folie. L'amnésique de *Mein Lieber Herr,* hantée certains soirs par la résurgence du souvenir, laisse le spectateur ébranlé, chaviré. Quelque chose se passe. Un moment. Un instant de music-hall où l'on croit accéder à la vérité de l'artiste. Quelques minutes au cours desquelles on *oublie* que tout ça tient du théâtre. Où l'on a inévitablement l'impression, à moins d'être blindé, que la mémoire endeuillée qui se révèle, impudique, est celle de la chanteuse. Prétexte à l'explosion de son tempérament dramatique, *Mein Lieber Herr* s'inscrit chez Dalida dans un réseau de chansons tragiques qui font état de souvenirs pénibles, réels ou fictifs.

Tout commence avec *Ciao amore ciao* ; une chanson lourde de sens, née dans des conditions si singulières qu'il convient de les préciser ici (que les fans se rassurent : je serai bref)[2]. Au début de l'année 1967, Dalida accompagne Luigi Tenco au Festival international de San Remo. Elle est depuis onze ans une vedette confirmée de la chanson de variété ; il rame en marge des médias pour imposer au public des œuvres réputées difficiles. Le festival a ceci de particulier qu'il présente en compétition des couples de participants, chacun de ces couples étant composé d'une vedette et d'un artiste moins connu qui doivent défendre à tour de rôle la même chanson. Le moment venu, Tenco et Dalida, en

2. *Ciao amore ciao,* texte et musique de Luigi Tenco, adaptation française de Pierre Delanoë, éd. P.E.I - SEMI, 1967.

alternance, interprètent *Ciao amore ciao*. Ils ne sont pas retenus par les membres du jury, Tenco se suicide après l'annonce des résultats. Il récoltera une célébrité posthume, puisqu'on le considère aujourd'hui comme un précurseur, l'un des fondateurs d'une école génoise de *cantautori*, constituée d'auteurs-compositeurs-interprètes anticonformistes et intègres :

> [...] *le plus instinctif des fondateurs de cette école génoise reste Luigi Tenco. Introverti et rebelle,* [...] *il se suicide en laissant un mot en forme de* J'accuse *; un réquisitoire terrible contre les mécanismes du* show-business. *Avec le temps, ses enregistrements sont devenus de véritables objets de culte pour les passionnés de chanson, et l'on a même donné son nom à une association, le Club Tenco, organisant depuis 74 une contre-manifestation, la* Rassegna Tenco della Canzone d'Autore, *qui tâche de représenter l'auteur à San Remo par opposition à la programmation du festival officiel*[3].

Un mois plus tard, Dalida tente de mourir à son tour. Elle continue sa route, mais porte désormais les stigmates d'une rencontre qui a bouleversé le cours des choses. Dès lors, la chanson de Tenco fait partie de son spectacle, dont elle constitue même le final jusqu'en 1973. Souvent, aussi, elle l'interprète

---

3. Mario DE LUIGI (traduit par Marc Robine et Salvatore Crobe), « L'Italie en forme de chanson », *Chorus*, n° 3 (printemps 1993), p. 115.

à la télévision française et italienne, avec chaque fois la même intensité. Et presque systématiquement en direct, de vive voix, même lorsqu'un triste effet de mode conduit un grand nombre d'artistes français à recourir abusivement au *play-back* (à la télévision, et parfois même sur scène). Écrite par un auteur de la marge, la chanson de San Remo reste pour Dalida un morceau à part, qu'elle livre toujours avec une émotion difficilement contenue. Lorsqu'elle donne *Ciao amore ciao* (de nombreux documents audiovisuels en témoignent), lorsqu'elle charrie les mots de Tenco, chanter est ni plus ni moins pour elle qu'un acte de mémoire. Elle se souvient. La douleur est palpable, le souvenir à vif. Imprimés dans sa voix, inscrits dans son corps.

*
* *

Le son du geste juste

Plus qu'un souvenir, c'est une impression. Une impression très vive suggérée par un poing fermé. Un poing dont les veines semblent sur le point d'éclater. Un poing serré si fort qu'on le croirait investi d'une lourde charge émotive ; serré si fort qu'il en fait oublier tout le reste.

Le reste, c'est Dalida à demi-présente devant les caméras de Radio-Québec. Dalida de passage à Montréal, invitée d'honneur à l'émission Variétés Michel Jasmin *le soir du*

25 février 1985. Trente minutes avant d'entrer en scène, les spectateurs présents dans le studio peuvent la voir, en retrait, immobile. Elle regarde le plateau où se succèdent les autres invités : Édith Butler, Zachary Richard, Yves Duteil. Elle est là, telle une statue dans sa robe longue en lamé noir ; une robe dont le centre, de haut en bas, est strié de zébrures métalliques irrégulières. Presque des éclairs. Curieuse, la robe. Elle donne l'impression que celle qui la porte va se fendre, se déchirer, se fractionner. C'est la robe fétiche des années 1980, celle qui accompagne la mort en marche.

Dalida est là qui prend ses marques, attentive, concentrée. Et petite. Toute petite. Presque repliée sur elle-même. L'animateur la présente : topo gentil mais banal. Il se tait, elle s'avance tête baissée. Et voilà qu'aussitôt dans l'angle de la caméra, elle se transforme instantanément. Se pare d'un sourire de spectacle, se déplie, se dresse, géante tout à coup. Le contraste est saisissant. Elle ouvre la bouche, mais ne chante pas. Pas tout à fait du moins. Une fois de plus, elle se prête au jeu du play-back, *même si un orchestre important est affecté à l'émission. En coulisse, on parlera d'une bronchite. Plausible, même si on sait trop bien que depuis deux ou trois ans, la voix de Dalida n'est plus ce qu'elle était.*

Sept ou huit minutes s'écoulent, le temps d'un pot-pourri de très anciens succès. À défaut de chanter, Dalida s'agite, bouge avec son élégance coutumière, sculpte l'espace de ses gestes baroques, vaguement surannés mais pourtant si beaux... Personne ne bouge comme ça sur scène. Plus personne en tout cas. Des gestes-scalpels. À une certaine époque, elle les économisait, misait avant tout sur la sobriété, hormis dans les fresques théâtrales à la Gigi. *Aujourd'hui, ses gestes prolifèrent ; elle les multiplie jusqu'à la surenchère. Comme s'il ne lui restait que ça ; comme si, en direct ou en* play-back, *il lui fallait pallier par le mouvement ses récentes insuffisances vocales, manière de conférer à son corps le pouvoir d'exprimer à lui seul la totalité de sa nature chantante.*

L'importance du geste, j'y avais réfléchi deux ans plus tôt, la dernière fois que Dalida s'était pointée en ville. C'était en avril 1983, pour l'ouverture d'un Téléthon de la paralysie cérébrale *dont elle était l'invitée-surprise. Il y avait, là aussi, un grand orchestre dont elle n'avait pas retenu les services sous prétexte qu'elle ne chantait plus qu'avec ses propres musiciens, restés en France. D'abord désolé, voire franchement indigné, je n'avais pu m'empêcher de lui pardonner rapidement. À mon corps défendant, elle était parvenue à m'éblouir en interprétant sans chanter, bandes à l'appui, un tout nouveau titre dont les Québécois avaient la primeur :* Lucas. *« L'enfant que je n'ai pas eu », avait-elle précisé par après. Elle y était émouvante, surtout dans la dernière minute de la chanson, lorsqu'il n'y avait plus ni mots ni voix, et que seule la musique prolongeait le texte ; une longue finale instrumentale sur laquelle Dalida exprimait, juste avec son visage et son corps, ce que la chanson ne racontait pas : le désarroi de rendre à sa mère l'enfant confié pour quelques heures ; le chagrin de le voir partir, s'éloigner, disparaître. C'est au cours de ce moment muet de son numéro que Dalida, ce soir-là, s'était montrée le plus convaincante. Parce qu'elle y révélait avec éclat ses talents de comédienne, et parce qu'elle était belle à voir, jouant de son corps, de ses mains et de son expression faciale comme d'un stradivarius. Rien que de la regarder jouer, je le jure, ça valait le déplacement. Du reste, c'est précisément ce sur quoi reposait sa performance : un déplacement. Un passage de la voix au geste, une autre manière de chanter vrai. Le son du geste juste.*

Février 1985, elle termine son pot-pourri. Les cris et les applaudissements fusent d'une assistance qui la remercie de ce qu'elle a déjà été. Puis, résonne l'introduction musicale de l'un de ses titres-cultes. On connaît la chanson, on la retrouve intacte, forcément. On se dit qu'on aurait préféré l'entendre autrement, même un peu moins en mesure, même imparfaite sur le plan vocal. Après tout, est-ce qu'on tient rigueur à Reggiani de crochir la note ? Est-ce qu'on cesse d'apprécier Gréco ou Barbara parce qu'elles manquent de souffle ou qu'elles escamotent les syllabes ?

On regarde Dalida. Et tandis qu'une voix de 1973 nous rappelle les amours d'une femme d'âge mûr avec un jeune homme de dix-huit ans, souvenir d'une relation éphémère qui a laissé des traces, voilà que surgit soudain le détail qu'on espérait, celui par lequel l'artiste s'incarne enfin. L'indispensable presque-rien qui permet une fois encore que la rencontre ait lieu entre une chanteuse et son public. Un bras tendu, un poing serré : un poing dont les veines semblent sur le point d'éclater. Ce qu'il fallait pour ranimer l'émotion, pour qu'elle s'accorde aux accents de la voix d'hier. Implacable, l'émotion. Quasi tangible. L'éloquence du corps parlant. Un poing serré : un point, c'est tout.

* * *

LE DEUIL DE L'ENFANT

On dit souvent qu'elle est le premier sex-symbol de la chanson. Qu'elle incarne la figure de l'amante éternelle, « le mythe [...] de l'amour brisé parfois, et toujours renaissant[4] ». Cette image-là n'est que partiellement conforme à la réalité puisque, pour plusieurs de ses admirateurs, Dalida a les traits d'une mère symbolique. À cause de ce qu'on raconte à son sujet, mais aussi à cause de ce qu'elle chante, et joue.

Dalida est l'archétype de la mère lorsqu'elle interprète *Bambino,* en début de carrière ; et plus tard, lorsqu'elle enregistre *Petit homme, Mon petit bonhomme* ; et *Lucas,* cette histoire d'une chanteuse en deuil de l'enfant qu'elle n'a pas eu. Elle est encore l'archétype de la mère lorsqu'elle interprète sa toute dernière chanson, *Le sixième jour* ; une œuvre librement inspirée du film de Chahine, un sombre chant du cygne qui s'achève sur ces mots murmurés à un enfant mort : « Petit homme sois sage, attends-moi, attends-moi...[5] ». Maternelle en 1956, grand-mère en 1986 : l'image du début s'accorde à celle de la fin.

---

4. Richard CANNAVO, *Le Matin de Paris,* 19 janvier 1980 ; extrait de critique publié sur la pochette de l'album *Dalida au Palais des sports 1980,* CA 271/67 498 Disques I.S.

5. *Le sixième jour,* texte de Michel Jouveaux, musique de Nicolas Dunoyer et Michel Kochmann, éd. Atalante, 1986.

Même certains de ses refrains d'amour (et pas n'importe lesquels) colportent cette image d'une mère symbolique, consolatrice dans le rôle de la femme mal aimée, complaisante à l'égard de l'homme volage. C'est le cas de *Gigi L'Amoroso,* lorsqu'au moment d'accueillir le héros ambitieux revenu d'Amérique, héros brisé par ses échecs, la narratrice-personnage se fait rassurante, réconfortante : « Mais tu pleures, tu pleures Gigi...[6] ». L'homme aimé est un vieil enfant qui n'a pas mûri, elle le réchauffe, le materne, évite de le culpabiliser. Une attitude similaire à celle dont elle fait montre à l'endroit de celui qui « venait d'avoir dix-huit ans », ce presque adulte « fort comme un homme » et... « beau comme un enfant[7] ». Une femme a été la maîtresse d'un jeune homme qui l'a raillée, puis quittée ; elle lui conserve l'indulgence dont on gratifie d'ordinaire un bambin désobéissant. La mère. Une image ancestrale, archaïque. Avec des rôles chantés qui ont marqué son répertoire au fer rouge, Dalida a fait de son personnage le symbole de la maturité et de l'abnégation. Un archétype : sans doute le plus lourd de tous les symboles féminins. Le plus lourd si l'on exclut celui de la Vierge (mère elle aussi, mère endeuillée de surcroît), qui nourrit à son tour la légende de la chanteuse.

---

6. *Gigi L'Amoroso,* texte de Michaële, musique de Lana et Paul Sébastian, éd. C. Carrère/S. Capocci, 1974.

7. *Il venait d'avoir dix-huit ans,* texte de Serge Lebrail et Pascal Sevran, musique de Pascal Auriat, éd. Biro/EMI Songs France, 1973.

Après sa tentative de suicide, elle est aux yeux du public une véritable miraculée. L'admiration que lui portaient ses fans se transmute en idolâtrie, en dévotion. « Trop c'est trop, Sainte-Dalida », aurait même déclaré un journaliste exaspéré[8]. Elle ne porte plus sur scène qu'une longue tunique blanche qui lui fait épouser l'allure physique de la Sainte Vierge. « C'est la Madone des sunlights », affirme un journaliste de *L'Aurore* pour saluer son retour à l'Olympia en 1977[9]. Sur cette image, sera moulée la statue du sculpteur Aslan qui domine aujourd'hui sa tombe, cette tombe dont on dit qu'elle est « la plus fleurie de France[10] », cette sépulture sur laquelle des gens vont se recueillir pour, paraît-il, *prier* la chanteuse. À regarder tout ça, on se dit que Lucien Morisse et Eddie Barclay, ses premiers mentors, ont été bien inspirés lorsque, le 28 août 1956, quelques mois avant *Bambino,* ils faisaient enregistrer à la future vedette une toute première chanson intitulée... *Madona.*

Dalida, c'est la mère. Toutes les mères. Avec le recul, la chose semble prédestinée. Si l'on prête foi aux remarques de ses biographes, elle est encore adolescente, au Caire, lorsqu'elle monte sur scène pour les besoins d'un drame biblique joué en milieu scolaire. La pièce, dit-on, s'appelle *Lumières*

---

8. Phrase citée par Pascal Sevran dans *Dalida – La gloire et les larmes,* Paris, Guy Authier éditeur, 1976, p. 143.

9. Norbert Lemaire, « La Madone des sunlights », *L'Aurore,* janvier 1977. Article partiellement reproduit dans la pochette intérieure de l'album *Olympia 77,* Sonopresse 39716.

10. Catherine Rihoit, *Dalida,* Paris, Pocket, 1997, p. 743.

et ténèbres. Elle y tient le rôle d'une femme qui se sacrifie pour son enfant. Trente ans plus tard, en fin de parcours, elle reprend le masque de la mère sacrifiée. Au cœur du *Sixième jour*, vêtue des habits de Saddika, elle assiste pour la énième fois à une projection quasi privée d'un mélodrame égyptien : « Le sacrifice d'une mère ». Saddika pleure, se liquéfie en regardant à l'écran une femme mourante qui expire après avoir prononcé ces mots : « Les enfants sont le joyau de la vie. On doit tout leur sacrifier. Tout... tout... tout[11] ». On voit Saddika pleurer en s'identifiant à la mère mourante, et on identifie Dalida à Saddika. On se dit que les larmes de l'une ou de l'autre, c'est du pareil au même ; surtout si on pense à ce que la presse nous dit de la chanteuse depuis 1983, ce qu'elle-même explique et répète aux journalistes : son chagrin de ne pas être mère. C'est un leitmotiv, une rengaine obsédante, l'objet de confidences publiques plus ou moins élaborées. Jeune, elle a tout misé sur sa carrière ; plus tard, une intervention chirurgicale l'a rendue stérile (depuis sa mort, on parle d'un avortement qui a mal tourné). Elle n'a pas enfanté, contrairement au personnage qu'elle avait endossé dans *Lumières et ténèbres*. Elle n'a pas eu d'enfant, à l'inverse de la Saddika du *Sixième jour*. Elle n'a pas été mère ; ce serait là l'une des raisons qui l'ont poussée à se suicider. C'est ce qu'on a dit, ce qu'on raconte encore aujourd'hui. Si bien que Dalida reste dans la

11. Youssef CHAHINE, *Le sixième jour*, Lyric international Sarl, 1986, 113 minutes.

mémoire de ceux qui l'ont aimée une *mamma* naturelle aux instincts contrariés. Quant à savoir si cette posture n'est pas l'envers d'une autre, plus secrète, il y a là une question à laquelle il est difficile de résister. Qu'elle porte le deuil du bébé qu'elle n'a pas eu, c'est possible. Mais à considérer les choses autrement, à la voir et à l'entendre interpréter quelques-unes de ses grandes chansons tragiques et désespérées, chansons de la mémoire à l'œuvre, on se demande si l'enfant qu'elle pleure n'est pas essentiellement celui qu'elle a été.

*
* *

Palimpseste

La chanson figure sur un disque enregistré à l'Olympia, le soir du 23 novembre 1971. L'atmosphère est au recueillement, on se croirait presque dans une église. S'élèvent des voix séraphiques, cristallines ; vocalises d'angelots qui pavent la voie au chant rauque et grave de Dalida. Le texte, poétique, résulte d'une commande adressée à Michel Sardou.

À mi-mots, une femme évoque son enfance, se souvient de la petite fille qu'elle était. Fillette qui s'endormait jadis en priant, bercée par les voix d'enfants imaginaires ; fillette charmée par l'accent de ces voix, semblable à celui « des chansons de [sa] *mère ».*

Mémoire de l'enfance, mémoire de la mère, souvenirs d'une femme encore habitée par les ombres du passé : ***Je ne mens plus dans mes prières, je ne fais plus de signes de croix, mais comme si c'était hier, j'entends toujours chanter mes voix...***

Aux dernières mesures, la voix de Dalida se mêle à celles du chœur d'enfants. Sa propre voix. Son propre accent (celui de sa mère, évidemment). Une mère dont le spectre ne cessera jamais de danser sur scène, en filigrane dans quelques-unes des chansons dramatiques de celle qui fut sa fille. Une mère qui, ressuscitée, laissera chaque fois transparaître, tel un palimpseste, la silhouette évanescente de l'enfant Dalida[12].

*
* *

LE DEUIL DE LA MÈRE

En 1973, elle emprunte à Serge Lama une chanson qu'il vient à peine d'écrire et d'enregistrer : *Je suis malade* ; une œuvre forte, excessive, démesurée, qu'elle traînera dans ses bagages jusqu'à sa mort. Une chanson à laquelle le public résiste difficilement, et dont il subsiste une trace saisissante

---

12. *Chanter les voix*, texte de Michel Sardou, musique de Jacques Revaux, éd. Match France, 1971.

en ouverture du film *Dalida, le grand voyage,* un long métrage réalisé en 1997 par le cinéaste Philippe Kohly[13]. Filmée à l'Olympia le soir du 4 avril 1981, la chanteuse explose, sans retenue. Elle chante, murmure, se lamente ; elle crie, hurle, tremble. Elle ne joue pas à être malade, elle *est* malade quand elle chante ça. Ces mots-là auraient été écrits pour elle qu'ils en seraient presque indécents. Qu'il s'agisse d'un emprunt élève un muret, une barrière de protection qui lui permet, on me passera le contresens, une totale impudeur parfaitement pudique. Au dernier accord, émue, elle reste longtemps immobile pour recevoir les applaudissements, frénétiques. Lors de la diffusion de ce document à la télévision québécoise, le journaliste Martin Bilodeau précise que « l'introduction sur *Je suis malade* est à couper le souffle[14] », rejoignant en cela bon nombre de critiques qui, en dépit de leur relation ambiguë à Dalida, ne résistent pas plus que le public à cette chanson-là. « [...] *Je suis malade* chanté par elle : c'est Vénus tout entière à sa proie attachée. La tragédie en habit de saltimbanque, le pathétique à fleur de micro », déclare Jean Macabies[15]. « Sa meilleure chanson, *Je suis malade* [...] celle où elle a véritablement été ovationnée », rapporte la

13. Philippe KOHLY, *Dalida, le grand voyage,* film produit par La Sept Arte et INA Entreprise, avec la collaboration de Orlando Productions, 1997.

14. Martin BILODEAU, « À couper le souffle », *Le Devoir,* 30 janvier 1998.

15. Jean MACABIES, « Dalida à l'Olympia », *Le Figaro,* édition des 28 et 29 mars 1981.

Montréalaise Carmen Montessuit[16]. Sans compter ce critique d'un quotidien québécois qui, pour rendre compte d'un passage de la chanteuse à la Place des arts de Montréal, opte pour la fantaisie et se glisse dans la peau d'un personnage fictif transmettant par écrit à sa mère ses impressions sur le spectacle :

> *La chanson qui va l'mieux à Dalida, c'est « Je suis malade ». Là, j'te l'jure, Dalida devient elle-même. Là, elle est tellement bonne que tu sens qu'elle est malade pour vrai, qu'elle a mal partout ; dans les orteils, le ventre et surtout dans la tête. M'man, j'te l'jure : Dalida a rendu tout l'monde malade !*[17]

« Elle ose chanter *Je suis malade* et elle y est bouleversante, puisant dans ses souvenirs sans doute », affirme quant à elle Jacqueline Cartier de *France-Soir,* à son retour de New York où elle a assisté à une prestation scénique de Dalida au Carnegie Hall[18]. Pertinente, cette idée de souvenirs... Même si *Je suis malade* est une chanson d'amour, l'une des plus pathétiques du répertoire français, elle semble revêtir pour Dalida une signification tout à fait particulière. Là où les auditeurs risquent de ne percevoir qu'un cri d'amour jeté à l'amant inconstant, la chanteuse – c'est elle qui le dit –

16. Carmen MONTESSUIT, « Dalida reçoit un accueil plutôt tiède », *Le Journal de Montréal,* 11 février 1977, p. 23.

17. Gilbert MOORE, « Dalida a fait pleurer », *Montréal-Matin,* 15 octobre 1975, p. 58.

18. Jacqueline CARTIER, *France-Soir,* 2 décembre 1978. Propos rapportés par Anne Gallimard dans le livre *Dalida mon amour,* Paris, éd. NRJ, 1989, p. 111.

remue les cendres d'un passé éprouvant, se rappelle un souvenir d'enfance angoissant, la peur qui l'étreignait jadis d'être abandonnée par sa mère : « Je suis malade/ Complètement malade/ Comme quand ma mère sortait le soir/ Et qu'elle me laissait seule avec/ Mon désespoir...[19] ». Ce souvenir d'une enfant aux prises avec le sentiment d'être délaissée par sa mère, elle l'évoque en 1981 à la télévision française, lorsque l'animatrice Danielle Gilbert souligne dans le cadre de l'émission *Midi-Première* à quel point *Je suis malade,* sur scène, se teinte d'une dimension toujours plus dramatique au fil des années[20]. La chanteuse explique que le texte de Serge Lama touche bel et bien chez elle une zone névralgique, conformément à ce souvenir qu'elle rappelait déjà dans une entrevue accordée en 1977 :

> *J'ai mal connu mon père.* [...] *Il est mort quand j'avais douze ans.* [...] *Je me suis rabattue sur ma mère et il m'arrivait de rester accrochée sans bouger aux barreaux du balcon, jusqu'à ce qu'elle revienne du marché ; j'avais l'impression d'être abandonnée*[21].

---

19. *Je suis malade,* texte de Serge Lama, musique d'Alice Dona, éd. Plein Soleil, 1973.

20. N.B. : Mes recherches ne m'ont pas permis de retrouver l'enregistrement de cette émission. Exceptionnellement, je me permets donc de rappeler sans référence à l'appui cette entrevue où Dalida s'explique sur la charge émotive que représente pour elle la chanson de Lama. Autrement dit, je rappelle... de mémoire.

21. Propos recueillis par Agnès Franche, *Bonne soirée,* 9 janvier 1977, et rapportés par Camilio Daccache et Isabelle Salmon dans *Dalida,* Paris, Vade Retro, 1997, p. 6.

Toujours en 1977, ce même souvenir est raconté dans un quotidien montréalais, lorsque Dalida parle d'une chanson toute récente : *Et tous ces regards*[22] Ce titre résulte d'une collaboration inattendue puisque le texte est l'œuvre du comédien Roger Hanin. Une longue chanson (6 min 30 s), constituée de morceaux chantés qui alternent avec des passages parlés, et se déploie sur une musique qui change plusieurs fois de structure mélodique. « Presque un micro-opéra », aux dires du journaliste Michel Pérez[23]. Parfaitement atypique par rapport à la majorité des titres qu'elle enregistre, cette œuvre, qu'on aurait davantage imaginée dans la bouche de Juliette Gréco que dans la sienne, semble avoir pris forme à la suite d'une conversation entre Hanin et Dalida :

> *Un soir, nous avions eu une conversation sur l'enfance. Il est né en Afrique du Nord, moi en Égypte. Je lui parlais de ma mère. Je passais des heures et des heures à ma fenêtre à attendre son retour. C'est ainsi que cette chanson est née.* [...] *C'est un moment dans mon tour de chant*[24].

---

22. *Et tous ces regards*, texte de Roger Hanin, musique de Jean-Pierre Stora, éd. EMI Songs France, 1977.

23. Michel PÉREZ, « Le mythe Dalida », *Le Quotidien de Paris*, janvier 1977. Extrait de la critique publié dans la pochette intérieure de l'album *Olympia 77*.

24. Carmen MONTESSUIT, « Dalida ne fume plus, ne joue plus, elle chante ! », *Le Journal de Montréal*, 9 février 1977, p. 38.

Dans une langue parsemée de métaphores dont, d'ordinaire, les auteurs de Dalida se font plutôt avares, *Et tous ces regards* jette un œil mélancolique sur le passé : « Et tous ces regards qui me suivent/ Et tous ces regards qui me hantent ». Un passé, de surcroît, marqué explicitement du sceau de l'image maternelle : « Maman/ Quand tu es partie/ Quand je suis partie/ Qui la première a tué l'autre... ». Aux antipodes des standards de la chanson commerciale, *Et tous ces regards* rejoint dans la marge les chansons de Dalida associées à des souvenirs traumatisants. Et résonne avec un autre joyau de son répertoire : *Avec le temps,* de Léo Ferré ; chanson liée elle aussi au double thème de la mémoire et du deuil[25]. Chanson du temps qui fuit, constat de la perte, celle-ci constitue de toute évidence l'une des pierres angulaires de l'univers chanté de Dalida.

La petite histoire veut qu'elle entende un jour la chanson dans un studio de télévision italien où Ferré vient de la créer. Elle souhaite la chanter, doute d'en être capable. Ferré l'encourage : cette chanson-là, comme *Je suis malade,* fera partie de son tour de chant jusqu'à la fin. Livrée d'abord avec une infinie sobriété, elle se charge au fil des années d'accents toujours plus déchirants. Du reste, les circonstances veulent qu'elle l'interprète pour la première fois à la télévision française... au lendemain du décès de sa mère. Lorsqu'elle l'offre au

---

25. *Avec le temps,* texte et musique de Léo Ferré, éd. Méridian/La Mémoire et la Mer, 1971.

public de l'Olympia, quelques semaines plus tard, le soir où elle crée *Chanter les voix*, l'ombre de la mère morte est là, lourde, envahissante ; et presque tangible lorsque succède aux mots de Ferré une interprétation sensible de *Mamy blue,* un hommage à la mère disparue qu'elle chante en italien, sa langue maternelle. *Mamy blue,* qu'elle interprète tantôt les yeux levés vers le ciel (« Dove sei Mamy »), tantôt la tête inclinée vers le sol, ses bras formant une enceinte avec ses mains jointes[26]. *Mamy blue* qui résonne avec le texte de Ferré ; résonne aussi avec *Mama*[27], un titre de 1967 qui figure sur le même album que *Ciao amore ciao.* La lettre ouverte fictive d'une femme à sa mère ; le chant plaintif d'une « vieille enfant » qui se rappelle son enfance, et regrette une protection maternelle dont elle parvient mal à faire le deuil.

*
* *

La voie du poème

Avec le temps, avec le temps va, tout s'en va, on oublie le visage, et l'on oublie la voix... *À dire vrai, cette chanson-là m'indisposait. Du haut de mes douze ans, il*

26. *Mamy Blue,* texte et musique d'Hubert Giraud, adaptation italienne d'Herbert Pagani, éd. Budde Music France/ H. Giraud, 1971.

27. *Mama,* texte et musique de Sonny Bono, adaptation française de Jacques Monty, éd. P.E.C.F., 1967.

m'était ardu d'en comprendre le sens. Ces images hermétiques, je rageais – orgueil oblige – de les voir se dérober à mon intelligence. Intrigué par la voix de Dalida au service du poème, je voulais comprendre ce qu'elle racontait, le pourquoi de la détresse immanente à son chant... ***À la galerie j'farfouille, dans les rayons d'la mort, le sam'di soir, quand la tendresse s'en va toute seule...*** *À défaut de déchiffrer les vers de Ferré, je m'attardais à leur sonorité, les répétais à voix haute, me laissais habiter par les couleurs que je leur prêtais...* ***Et l'on se sent blanchi, comme un cheval fourbu, et l'on se sent glacé, dans un lit de hasard...*** *C'est fou ce que j'ai pu méditer sur cette chanson-là. Et si je marquais des poses, si je me rafraîchissais en fredonnant des dizaines d'autres chansons plus faciles, moins exigeantes, dont je pénétrais le sens dès la première audition, je persistais à sonder l'énigme Ferré. Mais on vieillit ; et comme la fuite des années n'a pas que de mauvais côtés, avec le temps les mots du poète se sont allégés, se sont éclaircis. Au point que j'ai eu envie d'en connaître davantage, de marcher plus avant à la rencontre du vieux délinquant, même si son arrogance et son agressivité m'irritaient, m'irritent encore.*

Si Dalida n'avait pas chanté Avec le temps, *je suis persuadé que la voix maniérée et les textes-cafards de Léo l'anarchiste me seraient demeurés étrangers. Rien sinon les intonations chaudes de Dalida, rien sinon ses accents d'écorchée vive n'aurait su me prédisposer à visiter la caverne du monstre Ferré. J'en sais gré à la chanteuse, qui invitait de temps à autre son public à voir plus loin que la légèreté, l'entraînait tout doucement sur les chemins les plus escarpés. Pour dire sans complaisance la fragilité de l'existence, pour chanter haut et fort l'impossible deuil de ceux qu'on a aimés.*

*
* *

LA MÉMOIRE EN ACTION

L'expression chantée du souvenir coïncide chez Dalida avec un travail sur la mémoire qui s'accomplit hors scène. Fragilisée par l'épisode de San Remo, elle cherche à contrer la dérive qui la guette encore par un double travail de remémoration. Il s'agit d'abord d'une quête spirituelle, amorcée en 1969 avec la complicité de l'écrivain et réalisateur Arnaud Desjardins, qu'elle rencontre après avoir lu un texte dont il est l'auteur : *Les chemins de la sagesse.* Desjardins s'intéresse depuis quelques années aux spiritualités orientales. Attiré par la manière d'être et d'agir des maîtres de l'hindouisme, du soufisme et du bouddhisme zen et tibétain, il réalise sur le sujet des films à budgets modestes destinés à la télévision française, et rédige des livres publiés aux éditions de la Table Ronde. Quinze ans avant que ne prolifèrent les adeptes en tout genre de la croissance personnelle, quinze ans avant qu'il ne soit de mise de substituer aux prêtres des guides spirituels de tout acabit, Desjardins se trouve déjà engagé dans une voie de service dont il ne peut se douter qu'elle sera bientôt encombrée. Avec ou sans lui, Dalida se rend en Inde à quelques reprises, notamment pour y séjourner dans l'ashram de Swami Prajnanpad, un sage qui, selon Gilles Farcet, le biographe d'Arnaud Desjardins, « a mis au point une [...] méthode visant à faire resurgir [le] passé par lequel le présent se trouve pollué ». Ni plus ni moins qu'une anamnèse : une forme d'exploration de l'inconscient qui, à défaut de se réclamer de la psychanalyse, « s'inspire volontiers des découvertes de Freud[28] ». Soutenue par son maître à penser, Dalida tente de remonter aux racines du mal qui la gruge. Elle s'avoue bientôt confrontée à un conflit intérieur dont il sera fait mention jusqu'à la fin de son existence, un conflit opposant Yolanda (son véritable prénom) à Dalida (son pseudonyme). Un conflit résultant de ce qu'elle se sent écartelée entre une vie publique exigeante et une vie privée qui lui échappe. Dans ce contexte où elle tente de vaincre ses démons, elle entrevoit même, dit-on, la possibilité de mettre un terme à sa carrière de chanteuse.

28. Gilles Farcet, *Arnaud Desjardins ou l'aventure de la sagesse,* Paris, Éditions Lacombe/La Table Ronde, 1987, p. 270.

Loin de l'éloigner de son métier, le sage la ramène sur scène. transformée. Toutefois, faute d'adhérer totalement aux principes du gourou, elle interrompt cette quête vers 1971 pour la prolonger dans une autre, moins spirituelle, plus intellectuelle. L'introspection prend cette fois le visage d'une psychothérapie, et va de pair avec des lectures pour lesquelles elle est souvent ridiculisée. Freud, entre autres. Fascinée par la puissance de l'inconscient, elle se soucie d'en comprendre les mécanismes, toujours animée par l'espoir de dénouer le passé pour éventuellement s'ancrer dans le présent :

> *Je regrette de ne pas avoir fait des études parce que parfois, pour moi, ça devient difficile. Je n'ai pas eu la chance d'aller beaucoup à l'école, je suis allée jusqu'à l'âge de quatorze ans et un jour, il y a cinq ans, je me suis réveillée avec une soif de connaissance, de savoir et… je me suis dit : Qu'est-ce que je peux faire ? Le temps qui est perdu, il est perdu… La seule chose que je peux faire, c'est de me prendre moi-même comme champ d'expérience pour essayer de me connaître… Et à travers moi, peut-être que je connaîtrai un peu mieux les autres*[29].

Ce travail sur soi (ce qu'elle appelle son « voyage intérieur ») a inévitablement des répercussions sur son parcours artistique. Peu à peu, elle intègre un savoir

---

29. Transcription d'un extrait d'une entrevue accordée à Pierre Bouteiller dans le cadre de l'émission télévisée *À bout portant,* réalisée en 1972 par Roger Sciandra.

qui transparaît dans le choix de ses chansons, n'en déplaise à certains de ses détracteurs trop pressés de se moquer d'elle pour prendre le temps de l'écouter : « On a prétendu que Dalida lisait Teilhard de Chardin. Pourquoi pas ? Ses chansons lui laissent le temps de penser... »[30], ironise l'un des rédacteurs de la revue satirique *Le Crapouillot.* Encore faudrait-il savoir de quelles chansons on parle, certaines d'entre elles étant, on l'a vu, parfaitement compatibles avec une réflexion d'ordre intellectuel.

Tournée vers l'Orient ou vers l'Occident, plongée dans des textes de nature philosophique ou psychanalytique, mobilisée par une anamnèse ou par une analyse, Dalida cherche à se connaître et, pour cela, essaie de se souvenir. Un parcours logique, puisque « la forme pronominale des verbes de mémoire [je *me* souviens] témoigne de cette adhérence qui fait que se souvenir de quelque chose, c'est se souvenir de soi[31] ». Un parcours ponctué de chansons singulières qui lui feront donner, jusqu'à son dernier souffle, la pleine mesure de ses possibilités dramatiques. Des œuvres qui la feront chanter, crier, se défaire. Se décomposer, se mettre à nu. Ivre d'une douleur qui transcende toute théâtralité.

---

30. *Le Crapouillot,* nouvelle série, n° 38 (printemps 1976), p. 9.

31. Paul RICŒUR, *La mémoire, l'histoire, l'oubli,* Paris, Seuil (coll. « L'ordre philosophique »), 2000, p. 155.

* * *

L'ombre Blanche

Elle chante Je suis malade. *Avec le geste des moments graves. Un frémissement de la main, qui s'accentue jusqu'au tremblement. Ce geste-là me rappelle invariablement un vieux film américain, l'adaptation par Elia Kazan d'*Un tramway nommé Désir *de Tennesse Williams. L'histoire de Blanche Dubois, telle que jouée jadis par Vivien Leigh.*

Au moment où Blanche apparaît à l'écran, dans un nuage de fumée, on découvre une femme dont la posture et le maintien évoquent la distinction périmée d'une séductrice en porte-à-faux. Marquée par la mort, avant-dernière survivante d'une famille décimée, elle débarque dans un bouge de la Nouvelle-Orléans occupé par sa sœur cadette, épouse d'un homme rustre et violent. Pour tout bagage, une malle qui recèle les artéfacts de sa jeunesse : robes de bal et boas, lettres et bijoux. Pleine d'un secret qu'elle souhaite ensevelir, elle sourit trop, parle fort, s'asperge de parfums indiscrets, s'efforce de désarmer en l'aguichant le beau-frère hostile qui la démasque du premier coup d'œil. Il l'accusera plus tard de s'incruster chez lui, de lui mentir, de jouer la « reine du Nil » en passe de faire de son logement « un trône d'Égypte ».

Blanche Dubois est une femme fardée, fabulatrice, en fuite d'un passé scellé mais qui fuit de partout, la poursuit, la rattrapera bientôt pour causer sa perte. Le fard s'effritera, elle deviendra folle. Blanche Dubois est une femme d'un âge certain qui refuse de vieillir, déjoue la lumière, évite le regard des autres. Blanche Dubois, c'est la fêlure, la déchirure, le sourire composé pour taire l'insoutenable. Coquette, elle a la manie d'effleurer fréquemment sa chevelure d'un geste de la main. Chaque fois que la mémoire la rappelle à l'ordre, sa main tremble. Alors, elle récuse les fantômes, s'obstine, se dresse sur ses ergots pour n'en redescendre que si le passé annihile son amnésie fabriquée, la force à revivre l'événement tragique à l'origine de sa chute : un amour de jeunesse, un coup de feu, le suicide par balle de l'homme qu'elle a aimé.

Dalida chante Mein Lieber Herr, *l'histoire d'une amnésique qui se rappelle certains soirs son amant mort à la Libération : sa main tremble. Dalida chante* Ciao amore ciao, *la chanson de Luigi Tenco qu'elle défendait avec lui le jour où il s'est tiré une balle dans la tête : sa main tremble. Elle chante* Je suis malade, Mama, Mamy blue, *réveillant le spectre de la mère disparue... et sa main tremble encore. La main tremblante de Dalida, c'est le geste du souvenir, le signe muet du rappel. Comme s'il s'agissait de dire, sur le mode réel ou fictif, ce qui se joua naguère à la croisée des chemins. Au moment de répondre résolument à l'appel du destin, à l'instant de grimper sur le marchepied d'un bien étrange tramway nommé Désir. Point de départ d'une longue traversée des chemins parallèles de la mémoire et du deuil.*

3

LE PASSÉ RECOMPOSÉ

MODÈLES FONDATEURS
DE LA PERSONNALITÉ DALIDIENNE

On souligne régulièrement la longévité de la carrière de Dalida, qui « dépasse de loin toutes celles qui l'ont précédée[1] ». Régulièrement, aussi, on parle de son exceptionnelle faculté d'adaptation qui lui permet de traverser le temps. On souligne l'exploit d'aborder le twist à l'aube de la trentaine, on s'avoue stupéfait de la voir se mettre au disco à la mi-quarantaine. Bref, en bien ou en mal, on s'étonne qu'elle soit en mesure de s'accorder au son d'une époque qui est pourtant la sienne, comme s'il fallait s'attendre à ce qu'elle n'existe qu'à contre-temps. À la décharge de ses détracteurs qui la jugent vieillissante à trente ans et l'estiment vieille dix ans plus tard, on doit rappeler que la principale intéressée entretient elle-même un rapport quelque peu singulier à l'âge et au temps, comme le montre cette déclaration péremptoire de 1965 : « À trente-cinq ans, je me retire : à cet âge une femme est jeune, mais une chanteuse est vieille[2] ».

Portés par une tout autre intention, celle de louer sa ténacité, certains de ses admirateurs

1. Claude Fléouter, « Peyrac et Dalida à l'Olympia », *Le Monde,* 7 janvier 1977.

2. Extrait d'une entrevue accordée à *La Revue du Liban,* le 30 octobre 1965. Propos rapportés par Pascal Sevran dans *Dalida – La gloire et les larmes,* Paris, Guy Authier éditeur, 1976, p. 85.

suggèrent eux aussi son âge avancé, la condamnant à l'immortalité avant même qu'elle ne franchisse le cap de la cinquantaine. « Je me demande sérieusement si Dalida n'est pas éternelle », écrit Jean-Pierre Enard du *Quotidien de Paris*, au lendemain de sa première au Palais des sports. « Vous êtes, Madame Dalida, une légende vivante », s'exclame à son tour Richard Cannavo dans *Le Matin de Paris*[3]. On est pourtant loin d'Henri Salvador sur les planches de l'Olympia à l'âge de quatre-vingt-quatre ans, loin de Charles Trenet dont la carrière est effectivement d'une rare longévité mais dont on ne cesse par ailleurs de rappeler l'éternelle jeunesse. Taxer Dalida d'éternelle à quarante-sept ans, c'est un compliment, certes ; mais un compliment qui la propulse dans un espace-temps suspendu et lui confère un âge immémorial qui, forcément, n'est pas le sien. Il s'agit là d'un traitement de faveur dont ne bénéficient ni sa collègue Françoise Hardy, ni sa consœur Sylvie Vartan qui occupe le devant de la scène française depuis quarante ans sans que nul ne se sente tenu, même aujourd'hui, de mentionner à tout bout de champ son statut de grand-mère. Le fait de considérer Dalida comme une vieille chanteuse, alors qu'elle est morte à cinquante-quatre ans, est d'autant plus surprenant qu'elle n'est pas, physiquement, de ceux et celles qui se fanent prématurément. Il n'est pas nécessaire de s'encombrer de

---

3. Ces extraits de critiques figurent sur la pochette de l'album *Dalida au Palais des sports 1980*, Disques I.S., Distribution Carrère, CA 271/67 498.

considérations esthétiques pointues pour voir que « la grand-mère de la chanson française[4] » subit sans trop de dégâts les outrages du temps. On comprend donc qu'il s'agit avant tout d'une affaire de perception, sans doute tributaire des modèles dont elle s'inspire pour dessiner les contours de son personnage. Modèles dépassés, anciens, voire antiques, tous solidement ancrés dans la mémoire collective.

*
* *

Le miroir aux alouettes

« Maudite kétaine ! » C'est l'une des premières répliques de la pièce de théâtre Hosanna, *de Michel Tremblay, telle que présentée en 1991 à la télévision sous la direction de la comédienne et metteure en scène Lorraine Pintal. « Maudite kétaine ! », c'est l'insulte que s'adresse à lui-même le héros kitsch mais lucide de la pièce : Claude, coiffeur pour dames dans un quartier populaire de Montréal. L'un des personnages à la fois drôles et pathétiques d'une faune bigarrée composée essentiellement d'homosexuels portés à se travestir et à s'invectiver les uns les autres, maquillant ainsi le quotidien en un véritable théâtre de la cruauté.*

---

4. Je me souviens qu'un journaliste montréalais nommait ainsi Dalida dans un hebdomadaire québécois, vers la fin des années 1970.

Ceux qui sont à l'aise avec l'univers de Tremblay connaissent déjà le drame initial de la pièce : Claude, alias Hosanna, est de retour chez lui après une soirée entre amis (!) qui a mal tourné. Lorsque le rideau s'ouvre, un comédien, René-Richard Cyr en l'occurrence, incarne ce Claude-Hosanna, travesti en Elizabeth Taylor déguisée en Cléopâtre. En larmes, en loques, il en veut à tout le monde et à lui-même. Et Dalida dans tout ça ? J'y arrive.

« Maudite kétaine ! » une fois, deux fois, trois fois. Musique : la voix de Dalida chante dans les haut-parleurs un Besame mucho *version disco tandis qu'Hosanna se livre à une chorégraphie lourde de clichés. Il tire un rideau qui s'ouvre sur un immense miroir dans lequel il se dédoublera tout au long de la pièce. Et il bouge. Il effleure d'abord ses faux cheveux longs d'un mouvement de la main qui rappelle un geste typique de Dalida, puis entreprend de se dépouiller de ses attributs féminins ; une amorce de strip-tease. Sur la voix de la chanteuse en fond sonore, il retire, altier, de longs gants de velours noirs, clin d'œil à l'illustre scène du « strip-tease des gants » du film* Gilda, *qui permit jadis à Rita Hayworth d'entrer dans la légende. Hayworth : l'un des premiers modèles de Dalida.*

*Je n'ai jamais su si Lorraine Pintal, à qui l'on doit l'intrusion de Dalida dans l'univers de Tremblay, était ou non familière avec celui de la vedette. Je n'ai jamais su si le choix de l'y intégrer relevait d'une connaissance du personnage Dalida ou d'une simple intuition. Je ne l'ai jamais su et, de toute façon, ça n'a pas la moindre importance. Le fait est que dix-neuf ans après la création d'*Hosanna, *la chanteuse se greffe aux modèles qui fondent la personnalité concassée du héros brinquebalant de Tremblay.*

Dalida est à sa place, dans ce monde peuplé d'archétypes féminins et de fantômes clinquants, dans ce texte qui repose sur le dédoublement de personnalité d'un homme abîmé, en pleine crise d'identité. La voix de Dalida, le geste de Rita Hayworth, l'allure folklorique d'une Cléopâtre de pacotille empruntée à Elizabeth Taylor, tout ça est bien sûr d'une tristesse désespérante. Mais tout ça est parfaitement sensé. Et même si, admirateur critique mais inconditionnel de la chanteuse française, j'ai reçu un électrochoc en entendant la voix de la star succéder immédiatement au « Maudite kétaine ! » d'un travesti désabusé, il me faut reconnaître que Lorraine Pintal a visé juste en assimilant à l'identité en miettes d'une Hosanna pantelante celle non moins trouble d'une Dalida morcelée.

* * *

LES MODÈLES AMÉRICAINS

À l'encontre de nombreux artistes français qui vouent un culte à l'Amérique, l'engouement de Dalida pour les États-Unis ne sera que passager, et tardif. Jeune, c'est l'Europe qui l'attire ; la France, surtout. Néanmoins, elle s'avoue très tôt fascinée par deux figures mythiques du cinéma américain, Ava Gardner et Rita Hayworth : deux actrices qui, au moment où s'amorce sa propre carrière, ont déjà connu leurs plus grandes heures de gloire et qui, par conséquent, incarnent davantage le glamour hollywoodien de l'immédiat après-guerre que la perpétuelle modernité à laquelle, paradoxalement, elle semble aspirer. De l'une et de l'autre, elle adopte tour à tour la coiffure, le maquillage, la démarche ; autant de caractéristiques d'une élégance obsolète que lui reproche, agacé, le critique Claude Fléouter :

> [...] *ses gestes grandiloquents, ses roucoulades sentimentales et sa philosophie de bazar étonnent par leur anachronisme. Mais c'est peut-être justement cet anachronisme paisible, cette manière de se situer – avec l'accent – entre Mae West et Lana Turner, qui peuvent, au second degré, procurer sur le moment un certain plaisir désuet*[5].

5. Claude FLÉOUTER, *op. cit.*

À Gardner, elle emprunte l'image de ses débuts ; celle d'une vamp brune aux allures de gitane, jumelle de Gina Lollobridgida version Esmeralda. De Rita Hayworth, elle calque ultérieurement l'allure de rousse incendiaire qu'elle conserve jusqu'à sa mort. Hayworth dont elle est d'ailleurs la doublure dans les années 1950, en Égypte, lors du tournage de *Joseph et ses frères*, « superproduction biblique en technicolor » interrompue avant terme[6]. Seuls quelques plans seront tournés, qui ne permettront jamais la rencontre à l'écran de la doublure et de son modèle. Qu'importe, Dalida rappelle souvent l'admiration qu'elle voue à la créatrice de *Gilda*, notamment lorsqu'elle présente au petit écran, en 1974, un ersatz du fameux « strip-tease des gants » dans le cadre d'un spectacle produit par Maritie et Gilbert Carpentier, les ténors de la variété télévisée des années 1970 ; spectacle qui présente d'ailleurs en introduction un autre clin d'œil, celui-ci adressé à une vedette populaire de la chanson française du premier demi-siècle, Mistinguett, qu'elle avait déjà personnifiée en début de carrière[7].

---

6. Charles TESSON, « La descente du Nil », *Les Cahiers du cinéma*, n° 386 (août 1986), p. 59. N.B. : l'information relative aux expériences cinématographiques de Dalida dans les années 1950 est on ne peut plus confuse ; je choisis donc de me référer aux *Cahiers du cinéma*, une source qui m'apparaît crédible.

7. *Top à Dalida*, spectacle animé par Claude Vega, production de Maritie et Gilbert Carpentier, réalisation d'André Flédérick, 1974.

* * *

La chanteuse à gaine

J'ai le souvenir d'un article du magazine L'Actualité *dans lequel on interviewait Diane Dufresne. C'était dans les années 1970, une époque où Dalida était très présente sur les scènes du Québec. Je me rappelle que le journaliste Yves Tachereau, fan de Dufresne et allergique à Dalida, avait demandé à la première, comme ça, à brûle-pourpoint, ce que la seconde représentait à ses yeux. Dufresne avait répondu ceci : « la chanteuse à gaine. Le genre de chanteuse qui a besoin d'un corset pour se tenir toute ensemble ». La question, comme la remarque, m'avaient énervé. Sensible au travail de la chanteuse québécoise, je voyais mal en quoi il y avait lieu de l'opposer à Dalida. Même que de mon point de vue, elles se ressemblaient passablement. L'importance de l'image, le rapport à l'âge et au temps, autant de traits d'union entre deux voix qui auraient pu s'harmoniser si tel avait été leur souhait. Malgré tout, je n'ai jamais pu balayer la remarque incisive de Diane Dufresne. Sans doute parce que, même si je ne l'admettais pas encore, je pressentais qu'elle était porteuse d'une part de vérité. « La chanteuse à gaine », c'était sans doute une allusion à cette façon toute dalidienne de mélanger les grands textes et les mièvreries ; l'évocation, aussi, d'une attitude physique qui installait Dalida à cheval sur deux époques, l'asseyait sur la ligne de démarcation entre le passé et le présent. Une prestance qui rappelle aujourd'hui les annonces publicitaires des soutiens-gorge « cross your heart », fort prisés dans les années 1950 et 1960, lorsqu'on valorisait chez la femme une posture empruntée aux grandes vedettes américaines du noir et blanc. Lorsque ce modèle-là sera rangé au musée, Dalida l'aura si bien incorporé qu'elle ne cherchera pas à s'en départir. Elle gardera toujours la pose un peu guindée des stars d'autrefois, la patine des meubles anciens.*

* * *

LA FRANCE AVANT TOUT

« Je suis née dans l'faubourg St-D'nis/Et j'suis restée une vraie gosse de Paris...[8] » Coiffés d'un accent italo-arabe, ces mots résonnent étrangement dans la bouche de Dalida lorsqu'elle les fait siens, en 1960, au moment d'évoquer pour la première fois la figure de Mistinguett. Dans le contexte d'un

8. *Je suis née dans l'faubourg Saint-Denis*, Sylviano-Lelièvre-Varna-De Lima, 1929.

spécial télévisé de fin d'année, affublée de plumes et d'aigrettes, la chanteuse exotique suggère une filiation incongrue avec la plus parigote des chanteuses françaises. Elle qui, pour l'heure, ne présente aucune trace de parenté avec l'ex-reine de la revue parisienne, elle dont le répertoire et le travail scénique ne coïncident aucunement avec ceux de son aînée, trouve ici le moyen d'affirmer en chanson un attachement à la France qu'elle ne cessera de réitérer au fil des années. Au surplus, ce numéro réservé aux adeptes du petit écran livre d'elle l'image d'une artiste décalée par rapport aux courants musicaux en vogue. La France des années 1960 est celle des chanteurs yéyé – Johnny Hallyday, Sylvie Vartan, Sheila, Dick Rivers – reflets européens de la jeunesse américaine. Synonyme d'une rupture avec le passé, leur musique provient le plus souvent des États-Unis, traduite ou adaptée. À côté d'eux, Dalida a déjà des allures de dinosaure avec ses chansons qui rappellent davantage Luis Mariano qu'Elvis Presley. Hallyday, Vartan et les autres, c'est la France américanisée. Dalida, c'est la vieille Europe, même si elle consent à se mettre au diapason en colportant elle aussi des chansons au goût du jour ; des chansons dont elle sera la première à s'excuser : « [...] je n'aime pas beaucoup cette Dalida[9] ». Aussi apparaît-elle, en Mistinguett, lourde d'un héritage garant de son originalité (elle résiste à la

9. Citation extraite du film *Dalida, le grand voyage* de Philippe Kohly, film produit par la Sept Arte et INA Entreprise, avec la collaboration d'Orlando Productions, 1997.

mode) et responsable de sa relative désuétude (elle colle difficilement à l'air du temps). Soucieuse de se conjuguer au présent, elle s'incarne essentiellement au passé.

On le remarque encore quatorze ans plus tard lorsqu'elle ranime l'ombre de Mistinguett, juste avant de se convertir au disco en revampant, à coups de basse et de batterie, le *J'attendrai* d'avant-guerre qui jadis avait fait les beaux jours de Rina Ketty ; un *J'attendrai* qui prend place sur l'album *Coup de chapeau au passé,* l'un de ses disques-fétiches, réactualisation de vieilles chansons françaises, sud-américaines et québécoises. La mémoire disco d'Édith Piaf, de Charles Trenet et de Félix Leclerc ; *Besame mucho* et *Tico tico* rafraîchis en fonction des discothèques. « Qui n'avance pas recule », répète-t-elle jusqu'à plus soif dans les dernières années de sa vie. « Qui n'évolue pas stagne », renchérit-elle, sentencieuse[10]. Pour ne pas lui donner tort sans pour autant lui donner raison, disons qu'il lui arrive quelquefois d'avancer à reculons. Ni d'hier ni d'aujourd'hui, Dalida se meut dans une sphère qui lui permet difficilement de se tourner vers l'avenir pour s'y propulser. *No future.*

En 1974, donc, nouvel hommage télévisé à la « gosse de Paris ». Pour les besoins de la cause, Dalida s'amuse à pasticher *C'est vrai,* l'un des classiques de Mistinguett ; un air dans lequel la

10. Christian PAGE, *Dalida,* Paris, Éditions Bréa, 1982, p. 115.

Parisienne, en 1935, faisait le point quant aux rumeurs qui la concernaient :

> *On dit*
> *Que j'aime les aigrettes*
> *Les plumes et les toilettes*
> *C'est vrai*
> *On dit*
> *Que j'ai la voix qui traîne*
> *En chantant mes rengaines*
> *C'est vrai* [...]
> *On dit*
> *Que j'ai l'nez en trompette*
> *Mais j's'rais pas Mistinguett*
> *Si j'étais pas comme ça*[11].

C'est vrai, c'est la confession humoristique de Jeanne Bourgeois, renommée Mistinguett ; une chanteuse dont la gouaille, la voix approximative, les textes truffés de termes argotiques et le sens profond de la dérision trouvent aujourd'hui un certain équivalent chez Renaud (les plumes en moins, bien sûr). Pasticher Mistinguett, c'est, pour Dalida, mettre en valeur le versant léger de sa personnalité ; c'est se poser d'emblée comme une artiste authentiquement populaire (près du peuple), en dépit de ses incursions chez Brel ou chez Ferré. C'est aussi se réclamer de l'insolence d'une autre pour afficher, face à ses détracteurs, une désinvolture qui a fait ses preuves autrefois : « On dit quand mes soucis s'envolent/ C'est Freud qui la console/

11. *C'est vrai*, chanson signée Oberfeld et Willemetz, 1935.

C'est vrai, c'est vrai/ On peut bien dire ce qu'on voudra/ Je ne serais pas Dalida/ Si j'étais pas comme ça ». Écrite expressément pour la télévision par Pascal Sevran et Jean-Jacques Debout, *Comme disait Mistinguett*[12] est remaniée en 1979 en fonction d'un enregistrement discographique. Revue et corrigée avec la complicité de Pierre Delanoë, elle occupe dès lors une position privilégiée dans son tour de chant, soudainement meublé de tous les artifices du music-hall traditionnel : costumes, décors, danseurs et grand orchestre. Dans un spectacle qui se veut moderne (?), à mi-chemin entre le faste révolu des Folies bergères et le luxe convenu des *shows* à l'américaine, Dalida affiche désormais, et jusqu'à sa mort, une réelle parenté artistique avec son aïeule parisienne. Elle aborde ainsi le tournant des années 1980 en s'identifiant à une artiste morte en 1956 (l'année de ses débuts) et se saisit de l'occasion pour marteler au public son amour de la France : « On dit que je suis Italienne/ De naissance égyptienne [...]/ Mais j'préfère Joséphine à Cléopâtre/ Ménilmontant aux caves du Vatican ». Entre le Ménilmontant de France et le Vatican d'Italie, entre la figure française de Joséphine et celle, égyptienne, de Cléopâtre, Dalida réaffirme en 1979 le choix de sa patrie d'adoption comme elle le faisait déjà dans la première version de son pastiche : « [...] j'préfère Mistinguett à Cléopâtre ». La France avant

12. *Comme disait Mistinguett*, texte de Pascal Sevran et Pierre Delanoë, musique de Jean-Jacques Debout, éd. EMI Songs France, 1979.

tout… même si l'Égypte usera bientôt de son droit d'aînesse. Non seulement Cléopâtre ne croupira pas dans l'ombre, mais elle aura tôt fait de réintégrer son trône ; un trône qu'à son insu, Dalida usurpera pour entrer de plain-pied dans la postérité.

*
* *

Le saut dans le vide

Il existe à Montréal, au cœur du quartier gay, une petite boulangerie artisanale dont les murs sont tapissés de photos de Dalida. Des photos de toutes les époques de sa carrière, colligées par le propriétaire de la place, membre du fan club de la chanteuse depuis fort longtemps. Une boulangerie-mausolée dont la situation géographique est un indice de la place qu'occupe Dalida dans la communauté homosexuelle. Dans les bars avoisinants, il n'est pas rare que les travestis lui rendent « hommage » en déformant jusqu'au grotesque le moindre de ses gestes. Pas rare, non plus, qu'on entende dans les discothèques des réarrangements techno de ses titres les plus populaires. Et on rit. Et on danse en tapant des mains sur un enregistrement post-mortem où Dalida chante son désir de mourir sur scène. Certaines chansons sont découpées, recollées ; les tempos sont accélérés, des passages des textes sont même supprimés au détriment du sens. Une initiative de l'équipe de la chanteuse qui réactualise ses vieux succès pour s'assurer qu'on ne les relègue pas à l'oubli. Cinq disques ont déjà été gravés, qui font la joie des éternels adeptes de l'insouciance. Cinq disques dont l'intention avouée est de « propulser Dalida dans le 3e millénaire ». On danse. Et on rit.

C'est sans doute parce que je n'ai pas le sens de la fête, mais tout ça m'attriste, me fait penser à la Dalida des années 1970 interprétant une chanson de Mélanie Safka traduite par Maurice Vidalin (aujourd'hui reprise par Arno et Stéphan Eicher) : ***Ils ont changé ma chanson... Ils ont changé mon tempo... Et ma musique et mes mots...*** *Cette chanson était de celles que la star interprétait comme si son existence en dépendait...* ***Ils n'ont rien compris à la chanson, où j'avais écrit ma vie...*** *À force de tout mettre en œuvre pour que Dalida reste à la mode, à trop vouloir cultiver le mythe de son éternité, il m'arrive de craindre qu'on ne la condamne à l'éphémère. En permanence.*

* * *

LE MYTHE ÉGYPTIEN

Quelques années avant sa mort, la presse française annonce le prochain grand spectacle de Dalida. Elle doit, sous peu, tenir la vedette d'une comédie musicale inspirée de la vie de Cléopâtre. Le projet se veut grandiose : on prévoit la collaboration d'un compositeur de renom (Ennio Morricone est pressenti), d'un metteur en scène réputé (Vittorio Rossi semble avoir donné son accord) et d'une co-vedette américaine (on parle d'Anthony Perkins). Beaucoup d'encre coule à propos de ce spectacle qui ne se réalisera pas. Sans cesse remis à plus tard, il est prévu pour 1988 lorsque Dalida meurt en 1987. Associer Dalida à Cléopâtre, c'est, une fois de plus, l'amalgamer à une figure du passé, une figure mythique dont la légende présente quelques points communs avec la sienne. Personnalité complexe, hautement controversée, honnie et adorée, la dernière reine de l'ancienne Égypte est aujourd'hui un personnage romanesque, comme l'explique l'historien Michel Chauveau :

> *Depuis le XIXe siècle, les biographies de Cléopâtre, prétendant à l'objectivité ou diversement romancées, se sont multipliées, sans parvenir apparemment à lasser l'intérêt du public. Mais cette profusion cache un vide : nous ne disposons en effet d'aucun récit*

ancien de son règne, pas même d'une simple notice biographique ![13].

On sait donc peu de choses au sujet de Cléopâtre. On retient toutefois qu'elle était réputée pour le charme de sa beauté irrégulière et pour les inflexions particulières de sa voix ; réputée, aussi, pour son remarquable don des langues, pour ses amours célèbres et pour son suicide. On imagine sans mal que de telles résonances puissent nourrir le personnage Dalida en dépit des écarts qui l'opposent à son modèle, notamment le fait que Cléopâtre soit morte dans la trentaine. Vouloir se frotter à l'une des plus brillantes gloires du monde hellénique, c'est pour Dalida cultiver l'illusion de sa propre éternité et, pour cela, se rajeunir en se vieillissant. C'est aussi se raccrocher à l'Égypte, le territoire d'origine qu'elle avait commencé à conquérir, à vingt ans, en remportant le titre de Miss Égypte dans un concours de beauté. Un pays qu'elle fréquente peu par après, mais qu'elle reconquiert en 1977 grâce à la chanson *Salma ya salama*[14], « dont les paroles [symbolisent] avec discrétion l'entreprise de paix de Sadate[15] ».

Avec le recul, cette idée de jouer la reine d'Égypte apparaît on ne peut plus opportune, et

13. Michel CHAUVEAU, *Cléopâtre au-delà du mythe*, Paris, Éditions Liana Levi (coll. « Curriculum »), 1998, p. 8.

14. *Salma ya salama,* texte de Pierre Delanoë et Jahine Salah, musique de Jeff Barnel, éd. Fefee/EMI Songs France, 1977.

15. Jean-Pierre PÉRONCEL-HUGOZ, « L'Égyptienne », *Le Monde*, 5 mai 1987.

pas seulement pour les raisons évoquées plus haut. Cléopâtre, faut-il le rappeler, est un personnage politique ; une figure ambiguë au centre d'un conflit entre le monde hellénique (alors dominé par Alexandrie) et le monde romain. Comme un pont entre l'Égypte et l'Italie, elle assure son pouvoir et sa survie au prix d'efforts acharnés pour plaire à la fois à ses fidèles et à ses ennemis ; bref, elle joue à fond la carte du politique. Or, les circonstances veulent qu'à une tout autre échelle, la Dalida des années 1980 se retrouve sur la sellette à cause de ses convictions politiques, nébuleuses. Vers 1983, au moment où l'on annonce son mégaspectacle à venir, elle se relève à peine d'une opération médiatique qui l'a sérieusement déstabilisée.

Depuis quelques années déjà, elle affichait publiquement (mais sans ostentation) son amitié pour François Mitterand. Le détail paraîtrait anodin s'il n'était la source d'un branle-bas de combat qui l'affectera ultérieurement. Proche du candidat socialiste, elle avouera avoir voté pour lui aux élections présidentielles de 1974. La gauche ne sera pas élue, la chanteuse pourra cultiver ses amitiés en toute tranquillité. Vers 1980, toutefois, la donne se modifie. Mitterand est en passe d'accéder au pouvoir, Dalida est plus populaire que jamais. Leur amitié se maintient, se précise, et la presse monte en épingle ce qui relève du privé. On s'inquiète de ses opinions politiques, elle affirme son intention de voter de nouveau pour Mitterand (un ami en qui elle a confiance), mais non pour un parti.

Mai 1981, les socialistes sont au pouvoir. Dès cet instant, les allusions se multiplient sur les avantages que saura tirer la vedette de ses accointances avec les principaux représentants du pouvoir en place. On insinue qu'elle profitera de ses entrées à l'Élysée pour mousser sa carrière et, plus précisément, pour mobiliser les ondes de la télévision française. C'est oublier un peu vite qu'elle les mobilise déjà depuis vingt-cinq ans. Dans les mois qui suivent l'élection de Mitterand, on s'intéresse davantage aux rapports de Dalida avec le président qu'à sa carrière de chanteuse. Comme le souligne la biographe Catherine Rihoit, la star se fait « appeler la "panthère rose", l'"égérie de Mitterand". Lui-même se [voit] affublé du sobriquet de "Mimi l'amoroso"...[16] ». On l'attaque, elle se défend. Elle soutient son droit de voter pour un ami mais refuse toujours d'être associée à son parti. Elle apporte tout de même de l'eau aux moulins de ses adversaires en paradant, bien en vue, aux côtés des socialistes lors d'une cérémonie publique télédiffusée :

> *Le 21 mai à dix-huit heures, Mitterand remonte la rue Soufflot en direction du Panthéon.* [...] *Derrière Mitterand, à quelques mètres, les invités sont au coude à coude. Derrière eux, la foule est difficilement contenue. Dalida, au premier rang, est au bras de Willy Brandt et de Gaston Defferre*[17].

16. Catherine Rihoit, *Dalida,* Paris, Pocket, 1997, p. 582.
17. *Ibid.*, p. 583.

Les biographes de Dalida s'entendent aujourd'hui pour parler de sa naïveté, laissent croire à une manipulation du Gouvernement qui aurait vu en elle le moyen de s'attirer l'attention d'une fraction de la population fidèle à la vedette. Naïve ou non, on sait que Dalida, en 1981, semble lasse d'être au cœur d'une situation qui la dépasse. Cette année 1981, elle la termine à la télévision, le temps d'un spectacle-réveillon diffusé dans l'Europe entière. Elle profite d'ailleurs de cette émission pour souligner au crayon gras, une fois de plus, le statut privilégié qu'elle accorde à la France. En ouverture, la chanson *Pour vous* réfère au plaisir qu'elle éprouve à remettre le pied sur sa terre d'accueil, au retour de chacun de ses voyages à l'étranger : « Pour vous, moi je rapplique/ De l'Amérique ou de l'Équateur [...]/ Pour vous, j'ai mis la France/ À tous mes rendez-vous...[18] ». Inévitablement, on pense encore au *C'est vrai* de Mistinguett, dans lequel l'ancienne meneuse de revue exprimait à sa façon une prédilection pour la France : « Oui c'est moi, me voilà, je m'ramène/ J'ai vu London, j'ai vu Turin, l'Autriche, la Hongrie/Mais en France, il fallait que j'revienne/ Car je n'peux pas, moi je vous l'dis, m'passer d'Paris...[19] ». Du reste, ce même spectacle donne également à entendre une œuvre de Guy Béart, *Si la France,* qui fait manifestement allusion au climat politique qui sévit alors. Dalida s'y fait envelop-

18. *Pour vous,* texte de Pascal Sevran, musique de Jeff Barnel, éd. Tabata Music/EMI Songs France, 1982.

19. *C'est vrai, op. cit.*

pante, conciliatrice : « Si la France se mariait avec elle-même/ Si un jour elle se disait enfin je t'aime [...]/ Si la France s'embrassait, un jour, qui sait/ Pour la rose et le lilas en harmonie/ La main gauche et la main droite enfin unies...[20] ». En dépit de l'indéniable succès de ce *show* télévisé, en dépit d'une volonté tangible de flatter le pays divisé, la star est à l'aube d'une relative traversée du désert. « Au début de l'année 1982, les demandes de galas diminuent. Le boycott est lancé. Ses disques passent à la radio accompagnés de commentaires désobligeants ou de plaisanteries[21] ». Pendant un an, elle se fait discrète, chante à l'étranger. Elle réapparaît à Paris au printemps 1983, et défraie de nouveau la chronique avec un non-événement : elle fait la bise à Jacques Chirac. Dans la salle du Paradis latin où, avec d'autres chanteurs, elle rend hommage à l'auteur-compositeur Loulou Gasté, les photographes la captent, l'instant d'une embrassade amicale avec l'opposant de Mitterand. La presse s'énerve, l'opinion s'indigne. Écartelée, Dalida oscille visiblement entre deux positions contraires, soucieuse de ménager la chèvre et le chou. Partagée entre la gauche et la droite, elle refuse de choisir, craint qu'on n'essaie de diviser son public en deux clans ennemis. Assumer son amitié pour le président de la République, oui ; mais à la condition de se conserver la sympathie de l'adversaire. Résultat : la

20. *Si la France*, texte et musique de Guy Béart, éd. Espace, 1982.

21. Catherine Rihoit, *op. cit.*, p. 598.

droite est ravie, mais la gauche modère dorénavant ses ardeurs. À vouloir concilier l'inconciliable, la star s'éloigne de celui que la presse de l'époque baptise ironiquement « Dieu ». Elle n'a manifestement pas l'idée d'y perdre au change, mue par l'intention d'incarner sur scène celle que d'aucuns, depuis des siècles, considèrent comme une authentique déesse : Cléopâtre, la reine du Nil.

Même si le projet demeure lettre morte, Dalida n'en porte pas moins aujourd'hui l'empreinte de la souveraine. Depuis sa mort, celle que l'on qualifie de « divinité au Moyen Orient[22] » affiche en effet les attributs de son illustre ancêtre. Sur une photo largement diffusée depuis 1997, on la voit coiffée d'une couronne et sceptre en main, sur fond de temples et de pyramides avec le sphinx en arrière-plan. Elle figure ainsi sur la couverture du coffret *Les années Orlando,* quasi-intégrale de ses chansons gravées entre 1970 et 1987, et sur plusieurs jaquettes de vidéocassettes commercialisées en France comme à l'étranger. Son image posthume, celle d'une reine, est désormais en synchronie avec les mots qu'on utilise pour la décrire : « royale[23] » (lorsqu'elle entre en scène), « pharaonne[24] » (de la chanson), apte à « régner » sur les planches[25].

---

22. *Destins de stars,* émission télévisée consacrée à Dalida, TF1, 1996.

23. Camilio Daccache, livret du coffret *Les années Orlando,* Orlando/Barclay, 1997, 537 288-2.

24. « Ce que Trenet pense de ses disciples », *VSD,* semaine du 21 au 27 novembre 1985, p. 34.

25. « Et maintenant elle danse », *Le Point,* n° 381 (7 janvier 1980).

« Je m'incline devant votre courage et cet entêtement tranquille qui font de vous une reine[26] », déclare Richard Cannavo en 1980. « Qui détrônera aujourd'hui Dali ? », se demande Patrice Delbourg cinq ans plus tard[27]. Au printemps 2001, la page d'entrée du site Internet officiel consacré à la vedette nous invite à découvrir l'univers de « la déesse égyptienne ». C'est ainsi qu'à mesure qu'elle recule dans le temps, à force de s'identifier à des modèles toujours plus anciens, Dalida s'approche dangereusement du soleil. Qu'elle recule encore un peu, et on la verra siéger à la droite de Dieu (le vrai)... ou à sa place.

*
* *

Dalida première

Le film est signé Michel Dumoulin, et financé par l'équipe de production de la chanteuse. Un film synthèse réalisé en 1977, alors que la star est au zénith. Une sorte d'autoconsécration, portrait dont le titre à lui seul suggère l'éternité du modèle : Dalida pour toujours. *Les premières minutes nous la montrent en Égypte, lieu de la mémoire, la*

26. Richard CANNAVO, *Le Matin de Paris,* 19 janvier 1980 ; extrait de critique publié sur la pochette de l'album *Dalida au Palais des sports 1980,* CA 271/67 498 Disques I.S.

27. Patrice DELBOURG, *L'Événement du jeudi,* 21 février 1985 (propos rapportés dans le livret du coffret *Les années Orlando*).

sienne et celle de l'humanité. Dalida pose devant le sphinx, au pied des pyramides, dans le désert. Musique classique en fond sonore : des sons qui n'ont rien à voir avec son propre univers musical, mais des sons qui ont su traverser le temps comme elle-même le traversera. Le message est limpide, on a compris : l'éternité, bien sûr.

Après une longue entrée en matière, voilà qu'elle chante un texte de Pierre Delanoë, sur une très belle musique de Mikis Théodorakis. Debout, cheveux au vent, c'est à peine si elle murmure, pudique, les mots qui attestent ses privilèges : ***Je suis née au soleil levant, Le soleil est un peu mon frère...*** *Elle se réclame de l'astre divin, s'y adjoint pour prendre place à son tour au cœur de l'infini :* ***Nous sommes sortis de la mer, Avec le goût de la lumière****. La légende est en marche.*

* * *

LE MODÈLE BIBLIQUE

Bien qu'il figure ici en fin de liste, le modèle dont il est question cette fois se situe chronologiquement au début du parcours de la chanteuse. Ce modèle, c'est Dalila, l'héroïne traîtresse du « Livre des juges » de *L'ancien testament* ; Dalila, maîtresse de Samson, lui-même juge du peuple hébreux et dépositaire d'une force divine secrètement localisée dans sa chevelure. Amoureux de Dalila, il se retient par trois fois de lui divulguer le secret de sa puissance ; mais sa maîtresse insiste, soudoyée par les ennemis de son amant (les Philistins) qui tiennent à le déposséder de sa force pour le neutraliser et faire enfin de lui « un homme ordinaire ». De guerre lasse, Samson se confie à Dalila : « Le rasoir n'a jamais passé par ma tête [...]. Si on me rasait, alors ma force se retirerait de moi, je perdrais ma vigueur, et je deviendrais comme tous les hommes[28] » Sitôt que son amant lui a livré la clé de sa vulnérabilité, Dalila le fait tondre et le réduit à l'impuissance.

On pourrait croire, à priori, que ce personnage-là ne coïncide en rien avec celui de la chanteuse. Mais les choses se présentent différemment pour peu que l'on sache (et l'on y reviendra) à quel point la chevelure est l'une des constituantes essentielles du personnage Dalida ; dès qu'on sait, de plus, que c'est précisément sous le nom de l'héroïne biblique qu'elle amorce dans les années 1950 sa carrière cinématographique en Égypte. Dans le premier film où elle tient un rôle important, c'est en effet sous le nom de Dalila qu'elle figure au générique. Et quand, en 1955, elle débarque à Paris avec l'espoir de s'y faire connaître, c'est encore sous ce nom qu'elle tente d'obtenir ses premiers engagements. On

28. « Le livre des juges », dans *La sainte Bible*, Paris, Éditions du Cerf, 1972, p. 267.

raconte toutefois qu'elle se rebaptise promptement, histoire de se délester de la connotation péjorative associée à Dalila. Comme elle l'a expliqué mille fois, c'est à la suggestion de l'écrivain Alfred Machard qu'elle greffe au second « l » de son prénom une minuscule excroissance. Une boucle, dont elle orne son pseudonyme pour le faire basculer dans l'inédit et s'offrir ainsi un prénom neuf, rappel inévitable d'un autre, plus ancien. Le « l » encombrant, elle a tôt fait de le remplacer par un « d » investi d'une forte charge symbolique. Une lettre magique, comme une porte ouverte sur l'éternité. Un « d », avoue-t-elle candidement, comme dans « Dieu le père ».

Par cette habile transformation, la chanteuse se pourvoit d'un prénom qui risque bientôt d'avoir préséance sur celui de son modèle. En effet, depuis que le nom de Dalida circule aux quatre coins du globe, on a parfois la surprise de le voir jeter dans l'ombre celui de la maîtresse de Samson. Que ce soit au Québec ou en Italie, on remarque de temps à autre, depuis le début des années 1980, l'annonce publicitaire d'une nouvelle production de l'opéra *Samson et Dalida* [*sic*] de Saint-Saëns. Même la critique s'y fait prendre, qui répète le lapsus dans ses comptes rendus. Simple coquille orthographique ou ignorance crasse ? Difficile de le dire, mais le fait est que l'erreur se répète ; la preuve que le nom de la chanteuse populaire tisse si bien son chemin dans l'inconscient collectif qu'il prend progressivement le pas sur celui d'un personnage « vieux comme le monde ».

C'est ainsi que, de sa naissance publique à sa mort, Dalida prend place au centre d'une constellation d'images anciennes. Images révolues d'une Ava Gardner et d'une Rita Hayworth déifiées, figure ancestrale d'une Cléopâtre mythique, visage archaïque d'une Dalila biblique, le tout couronné par l'ombre immémoriale d'un Dieu éternel. Il y a là suffisamment d'ingrédients pour que le terrain soit propice à la perception généralisée d'une Dalida éternellement vieille. Propice, aussi, au déploiement d'une identité stellaire que le souvenir de Mistinguett, Dieu merci, colore d'une réjouissante humanité.

Quelques mois avant de mourir, dans *Le sixième jour* de Chahine, une scène nous montre la chanteuse-actrice aux prises avec un jeune prétendant qui lui demande son âge. Lorsque Saddika répond à la question « Quel âge as-tu ? », c'est Dalida elle-même qu'on croit entendre. On a beau savoir qu'on est au cinéma, on ne marche plus. Ce qu'on reçoit, ce n'est pas une réplique : c'est une confession. Celle d'une chanteuse à quelques mois de se suicider, celle d'une star éblouie par les prismes d'un miroir vieillissant. L'aveu d'une femme enfouie sous les voiles noirs d'un modeste *alter ego* : « J'ai quarante-six ans. Ajoute l'usure du temps, ça fait quatre-vingts[29] ». On peut bien dire ce qu'on voudra : ces mots-là, dans la bouche d'une autre que Dalida, sonneraient tout autrement. Ne sonneraient pas… « comme ça ».

---

29. Youssef CHAHINE, *Le sixième jour,* Lyric International Sarl, 113 minutes, 1986.

* * *

Le chant du ciseau

C'était écrit dans un communiqué de l'Agence France-Presse, diffusé au Québec le 24 décembre 1983 : « Dalida s'est fait couper les cheveux. [...] *Georges Saint-Gilles, maître figaro parisien, a planté ses ciseaux dans l'opulente chevelure fauve de celle que les Français ont baptisé "la Reine du microsillon"* [...] *et rien ne sera plus comme avant ».*

Dix-huit ans plus tard, le souvenir conserve toute son acuité. Le choc, la stupéfaction. Et l'indicible malaise d'être affecté par une nouvelle aussi insignifiante que celle d'un vulgaire changement de coiffure. Une nouvelle sans intérêt en soi, qui n'aurait même pas dû mériter un entrefilet dans un journal à potins de très bas étage. La consternation. Celle, surtout, d'être consterné. En contrepartie, heureusement, la conscience réconfortante de ce que, justement, ladite nouvelle ne figurait pas dans un hebdo douteux mais dans une dépêche expédiée un peu partout dans le monde. De quoi me rassurer un peu – juste un peu – quant à l'état de mon équilibre psychique. Après tout, ce n'était pas moi qui le disais : « rien ne sera plus comme avant ».

Il est vrai qu'en spectacle, la crinière de Dalida n'avait rien de banal. Enfin, pas tant sa crinière que ce qu'elle en faisait : une douche, une chute, un voile. Il faut l'avoir vue sur scène pour savoir à quel point sa tignasse était indissociable de sa gestuelle, de sa présence. Quelque chose de sacré, dans cette chevelure en cascade. Cette manière d'y glisser ses doigts pour simuler une caresse ; ce geste de l'ébouriffer pour dire la détresse ou la déconvenue ; et cette façon de la laisser choir, au salut, cette habitude de s'accroupir et de s'en recouvrir le visage et le corps tout entiers. Oui, quelque chose de sacré dans cette chevelure en chute. En particulier dans les chansons qui revêtaient un caractère presque mystique, comme cette version italienne du Night in white satin *des Moody Blues qu'elle chantait, comme une offrande, pour le public de la salle Wilfrid-Pelletier de la Place des arts, en décembre 1978. Une chanson-culte qui devenait, livrée par elle, la représentation même d'un rite liturgique. Une troublante incantation. L'évocation d'une pierre, d'une inscription, d'une ombre ; le souvenir d'une voix...* ***Sopra la pietra, Ho scritto il mio nome, Un' ombra è venuta, È mi ha preso per mano*** **[...]** ***Io ti prego, Io ti chiedo, Un po' d'amore...*** *Une missive adressée à quelque ange invisible, la sobre prière d'une sorcière vêtue de blanc. Le chant d'une* *magicienne, statique, figée, et qui s'anime, lentement. Vestale pétrifiée en voie de s'incarner, statue de marbre qui se fait chair.*

Après le second couplet, tonnerre de percussions. L'éclairage s'assombrit, dissimule entièrement la silhouette et le faciès de la chanteuse. Seuls sont visibles l'ombre de ses mains et le contour de ses cheveux. Saisissant, l'effet : ces mains, détachées du corps, et cette chevelure suspendue dans l'espace, lumineuse. On dirait celle d'une comète.

*Quelque chose de sacré, aussi, dans son interprétation d'*Hene Ma Tov, *tiré de* La Bible. *Un mantra lancinant pour dire l'urgence de la paix sur Terre :* ***Hene Ma Tov, Uma nagim, Shevet atjim gam yajad***. *Un chant hébreux, extrait du psaume 133 : « Voyez ! Qu'il est bon, qu'il est doux, d'habiter en frères tous ensemble ». Une invite au rassemblement synthétisée dans une phrase, une seule, répétée inlassablement pour en appeler à l'harmonie entre les hommes (et plus précisément, à l'origine, entre les Juifs et les non-Juifs). Manière, pour Dalida, de dire dès 1964 le rêve d'une « main gauche et d'une main droite enfin unies ». Pour chanter cet* Hene Ma Tov, *elle scande l'accélération rythmique de la partition par le claquement de ses mains, qu'accompagne la semi-rotation de sa tête : un tour vers la* *gauche, un tour vers la droite, cheveux mouvants qui virevoltent en battant la saccade. Quelque chose de sacré dans cette toison rousse, lumineuse et musicienne ; cheveux-lyre en accord avec les termes du psaume de David, harpe-chevelure au service du texte ancien.*

Et voilà que sa chevelure, elle venait de la couper. La nouvelle, on le disait, s'était répandue comme « une traînée de poudre dans les coulisses des music-halls et des maisons de disques ». Le choc. Elle aurait perdu la voix que la chose ne m'aurait pas touché davantage. Comme si l'une n'allait pas sans l'autre. D'ailleurs, j'en étais sûr, l'une n'irait pas sans l'autre. J'en éprouvais la certitude absolue, même si je ne l'avouais qu'avec prudence, craignant qu'on ne juge impérieux de me faire enfermer ou de m'abrutir de médicaments pour mettre un terme à ma dérive. En laissant le rasoir passer sur sa tête, elle s'était condamnée, je le pressentais, à devenir « une femme comme toutes les autres ». Tel un Samson d'ancienne mémoire, elle serait désormais diminuée, affaiblie. La légende avait rattrapé Dalida. À la différence, cependant, qu'elle venait de se poser à la fois comme victime et comme bourreau. La responsable de la chute des cheveux, c'était elle. La première à en souffrir, ce serait elle. Hermaphrodite juge et tyran, elle venait de s'automutiler. Rien ne serait plus comme avant.

Pour donner raison à mes tristes prédictions, l'année à venir serait la seule de sa carrière pendant laquelle elle n'enregistrerait aucun nouvel album. Il faudrait attendre 1985 pour qu'elle grave un autre microsillon, son avant-dernier. Un disque terne, à tous égards. Des chansons sans grande consistance (sauf une exception), adaptées pour la moitié de succès américains récents. Et une voix... Une voix moribonde. L'ombre d'elle-même. Une absence absolue de conviction ; une force de persuasion – si puissante, hier – réduite à néant. Elle qui avait l'habitude de mordre dans les mots, de transfigurer les textes les plus bêtes en chansons achevées par la seule grâce de son phrasé, voilà qu'elle glissait sur les sons, qu'elle les alignait comme s'ils ne la concernaient pas. Éteinte, sa voix. À l'écouter, j'avais même le sentiment, par moments, que certaines notes avaient été prolongées artificiellement grâce au support de la technique. Un résultat désolant. Cheveux coupés : voix morte. Le chant d'un ciseau dans la gorge.

De surcroît, l'album avait ceci d'étrange que, pour la première fois, le prénom « Dalida » ne figurait pas sur la pochette. Pas dans son intégralité, en tout cas. Elle avait choisi, cette fois, de porter le surnom que lui donnaient ses intimes et ses fans : « Dali ». « Dali », c'était presque « Dalida », certes. Mais avec une syllabe en moins, un « da » retranché. Et ce « da », tout petit, c'était ce qu'il y avait de commun entre son prénom réel, Yolanda, et son pseudonyme, Dalida. C'était, dans l'inscription même de ce qui constituait la base de son identité, le point de rencontre entre les deux pôles dominants de sa personnalité, la femme effacée et l'artiste célébrée trop souvent disjointes. Plus encore, ce « da » disparu, c'était aussi la syllabe qui retenait la lettre magique ; celle qu'une boucle anodine avait jadis chargée d'une valeur divine. Disparu, le « d » de « Dieu le père ».

Cheveux coupés : voix blanche et prénom charcuté. Dalida venait de briser le socle de son piédestal. La statue de pierre qui s'incarnait autrefois se désagrégerait, inexorablement. Bientôt, elle ne chanterait plus, ou de moins en moins. Et rejoindrait en cela la masse des êtres « ordinaires ». Quant à la suite de l'histoire, elle s'écrirait d'elle-même. Son ultime performance digne de ce nom, ce serait, un an plus tard, la Saddika de Chahine. Une pauvre lavandière de l'Égypte des années 1940, une femme du peuple humblement couronnée d'un mouchoir. Femme friable aux cheveux voilés.

4

KALÉIDOSCOPIE

FRAGMENTATION DU PERSONNAGE DALIDA

« Je suis une femme toute simple qui chante...[1] » En novembre 1986, c'est en ces termes que Dalida se présente à un reporter de *Jours de France,* séduit par son humilité. Elle affiche une attitude sereine, détachée, qui déstabilise un peu le journaliste : « J'ai été envoyé vers Dalida. J'ai rencontré une femme[2] ». De retour à Paris après un séjour de trois mois en Égypte, elle s'affaire à la promotion du film *Le sixième jour.* Interviewée à gauche et à droite, elle répond aux questions (toujours les mêmes) qu'on lui posait déjà pendant le tournage. On veut savoir ce qu'elle pense des conditions de travail difficiles auxquelles elle s'est heurtée (les studios égyptiens n'offrent pas le confort de leurs pendants européens et américains), on veut connaître ses impressions relatives à sa redécouverte de la langue arabe, négligée depuis toujours au profit de l'italien. Surtout, on espère l'entendre confier les sentiments que lui inspire le personnage de Saddika, apparemment son envers absolu :

> [...] *J'ai perdu mon identité. C'est vrai parce que les cheveux, bon, pour moi, c'est quelque chose d'important. Les mains, tout ça,*

---

1. Francis LACOMBRADE, « Dalida : une nouvelle Mère Courage », *Jours de France,* semaine du 22 au 28 novembre 1986, p. 44.

2. *Idem.*

on m'a coupé les ongles, on m'a... Il n'y a pas un cheveu qui dépasse. Mais c'est... c'est formidable parce que je vis une histoire, je la sens en moi et je vis quelque chose de différent, une femme différente. J'ai perdu mon identité. Je sais pas qui c'est, Dalida, maintenant[3].

La question de l'identité perdue, l'un de ses sujets de prédilection, se pose autrement que par le passé. Celle qui est aujourd'hui ravalée par l'ombre de Saddika, c'est Dalida, l'artiste. Alors qu'il n'y a pas si longtemps encore, c'était Yolanda, l'enfant du Caire, qui souffrait de vivre en marge de la vedette. Yolanda Gigliotti : le nom qui figure sur son acte de naissance ; ce nom que, même à ses débuts, elle ne nous permet pas d'oublier. À preuve, sa participation au long métrage *Sigara wel kas (Un verre et une cigarette)* du réalisateur arabe Niazi Mustapha[4]. En 1955, il engage la jeune Dalila pour un rôle secondaire, celui d'une infirmière italienne prénommée – est-ce un hasard ? – Yolanda. En route vers la gloire avec en poche un prénom mythique, Miss Égypte traîne avec elle, comme un repentir, les marques distinctives de son identité réelle. À peine connue, elle brouille déjà les pistes, se prête d'en-

3. Tiré d'une entrevue dont un extrait figure dans le film *Dalida, le grand voyage,* de Philippe Kohly, film produit par La Sept Arte et INA Entreprise, avec la collaboration d'Orlando Productions, 1997.

4. Niazi MUSTAPHA, *Sigara wel kas,* 1955 ; film noir et blanc, Dounia vidéo, DV 581, 120 min.

trée de jeu à l'un des innombrables effets de miroir qui la feront se dédoubler jusqu'au terme de son itinéraire.

« C'est très bien, Yolande ! C'est très bien, c'est parfait ! Oui, parce que vous savez, Dalida, elle s'appelle Yolande ». Ce compliment, doublé d'une précision à l'intention des téléspectateurs, on le doit à l'animateur Claude Vega travesti en bourgeoise décatie, personnage bon enfant d'un *show* télévisé aux allures factices de répétition générale[5]. Dalida, comme tous les invités de l'émission qui gravitent autour d'elle, joue ici une vedette méconnue qui répète une revue de music-hall sous la gouverne d'une directrice acariâtre. Dans une mise en scène qui occulte le vraisemblable au bénéfice d'une dimension ludique hautement prisée par les téléspectateurs de l'époque, les concepteurs de l'émission logent la chanteuse à l'enseigne d'une similifiction propre à charmer le public. Ils font sensiblement la même chose, en 1981, dans le cadre d'un *Spécial Dalida* où l'interprète incarne une diva agressive que le préposé fictif d'un palace parisien interpelle pour dresser sa fiche d'identité. Il lui demande ses nom et prénom, elle répond, impatiente : « Yolanda Gigliotti[6] ». Ce n'est que plus tard dans l'émission qu'elle se fait appeler Dalida.

---

5. *Top à Dalida,* spectacle animé par Claude Vega et réalisé par André Flédérick, production de Maritie et Gilbert Carpentier, 1974.

6. *Numéro un – Spécial Dalida,* émission télévisée d'André Flédérick, produite par Maritie et Gilbert Carpentier, T.F.1., 1981.

« Lorsqu'un homme se masque ou se revêt d'un pseudonyme, nous nous sentons défiés. Cet homme se refuse à nous[7] ». L'inverse est tout aussi vrai : quand un être caché derrière un pseudonyme dévoile son nom véritable, nous nous sentons complices. Et cette complicité, Dalida la cultive sans rechigner. En 1980, elle enregistre *Gigi in paradisco* ; une indescriptible chanson-fleuve de 11 minutes, la suite rocambolesque des amours tumultueuses de *Gigi* premier[8]. Au milieu d'une scène onirique, on entend la voix d'un choriste qui s'adresse à la chanteuse-narratrice : « Yolanda, Yolanda, Séraphino veut te parler ». Clin d'œil à l'auditeur qui dispose d'une connaissance, même partielle, de la biographie de Dalida, ce « Yolanda » enrichit la chanson d'une dimension autobiographique qui renforce l'intimité du lien déjà existant entre la vedette et son public.

Nommée par l'artiste elle-même après 1967, la dichotomie Yolanda-Dalida fascine longtemps les journalistes et les interviewers. Sans craindre d'épuiser le sujet, ils creusent l'un après l'autre le sillon tracé par la star, exploitent en écho ce filon de la déchirure originelle. « On vous demande aujourd'hui de ne plus être Dalida, et, peut-être, d'être Yolande. » Celui qui parle ainsi, c'est Gilbert Khan, l'animateur de l'émission *Aujourd'hui*

---

7. Phrase de Jean Starobinski (« Stendhal pseudonyme », dans *L'œil vivant,* Paris, Gallimard, 1961), citée par Gérard Genette dans *Seuils,* Paris, Seuil, 1987, p. 49.

8. *Gigi in paradisco,* texte de Michaële, musique de Lana et Paul Sébastian, éd. Binko Music, 1980.

magazine[9]. « Je crois que les deux vont ensemble », rétorque Dalida, surprise. À la fin de l'entrevue, elle réaffirme s'être longtemps sentie divisée, mais assure qu'elle a réussi la synthèse des deux fractions antagonistes de sa personnalité. Pourtant, cinq ans plus tard, elle chante une chanson bizarre, une œuvre surréaliste revendiquée conjointement par « Yolanda et Dalida » ; un improbable duo (le terme « duel » serait plus juste) qui érige un pont étrange entre la star et la femme tapie derrière elle. À la fois l'une et l'autre (évidemment), l'artiste exprime en musique son fantasme d'une symbiose aux limites de l'inaccessible : « Essayons d'être une fois ensemble[10] ». *Ensemble* à la télévision, c'est Dalida la rousse qui se dédouble littéralement, pour confronter dans sa glace la Yolanda brune de sa jeunesse. Inquiétante illustration d'un double qui l'assaille depuis ses débuts et qui, jusqu'à sa mort, la harcèle de façon sporadique.

La figure du double, on la trouve partout chez Dalida. Lorsqu'elle met les pieds sur un plateau de tournage, avant même de jouer la Yolanda de *Sigara wel kas,* elle se manifeste à titre de doublure. Doublure de Rita Hayworth, on l'a vu, mais aussi de Joan Collins, pour les besoins du film *Terre des pharaons* de l'américain Howard Hawks. Puis, comme actrice à part entière, elle tient, en 1960, la vedette

---

9. *Aujourd'hui magazine*, émission animée par Gilbert Khan et réalisée par Georges Barrier, 1977.

10. *Ensemble*, texte de Michel Jouveaux et Jeff Barnel, musique de Jeff Barnel, éd. Tabata Music/EMI Songs France, 1982.

du long métrage *Parlez-moi d'amour* de Giorgio Simonelli[11]. Héroïne d'un scénario gorgé de quiproquos, elle devient la complice involontaire d'un détective à la recherche d'une riche héritière nommée Laura Pisani. Tout au long du film, les fausses Laura se multiplient, toutes bercées par l'espoir de toucher l'héritage. Fin de l'histoire : on apprend que Moïka la gitane (le personnage de Dalida) s'appelle en réalité Laura Pisani (!) et que, par conséquent, elle participait à son insu à sa propre recherche. Consternant, le scénario a rétrospectivement le mérite d'inscrire Dalida dans une problématique qui la touche de près. Du reste, ici comme dans quelques autres productions du même calibre (« je n'ai fait que de mauvais films[12] »), elle tient le rôle d'une chanteuse qui aspire au vedettariat en interprétant dans les cabarets les plus douteux quelques-uns des grands succès de... Dalida. Quand ce n'est pas Laura Pisani (alias Moïka) qui chante Dalida, c'est Georgia, la protagoniste de *L'inconnue de Hong Kong*[13]. Vu sous cet angle, le premier film français auquel elle participe est exemplaire. Dans *Brigade des mœurs,* le cinéaste Maurice Boutel lui prête les traits d'une chanteuse

11. Giorgio Simonelli, *Parlez-moi d'amour,* film en couleurs tourné en 1960, Victor's video vision, CO 173.

12. Gaétan Chabot, « Do... ré... mi... fa... sol... Dalida ! », *Dimanche-matin,* 13 avril 1975, p. B-7.

13. Jacques Poitrenaud, *L'inconnue de Hong Kong,* film noir et blanc de 1963, René Château vidéo (coll. « La griffe des stars »), 1991.

prude et timorée[14]. Sous la férule d'un chef d'orchestre joué par Eddie Barclay (son producteur de l'époque), elle passe une audition dans une boîte de troisième ordre. À Barclay, qui lui demande de se présenter, elle répond : « Dalida ». Lorsqu'il s'enquiert de la chanson qu'elle a retenue pour l'audition, elle lui apprend qu'il s'agit de *Bambino*. Non seulement tient-elle ici le rôle de la chanteuse inconnue au service de ses propres chansons, mais elle fait aussi cadeau de son pseudonyme à ce pâle reflet d'elle-même privé de toute espèce de crédibilité. Doublure d'une autre ou double d'elle-même, Dalida élève peu à peu les murs de sa maison de glaces. Même quand il s'agit de faire, en toute innocence sans doute, ses premiers pas vers la célébrité, même quand il s'agit de jouer dans de piètres films pour le simple plaisir de faire du cinéma, elle édifie les bases d'une structure labyrinthique dont la logique certaine et l'implacable cohérence ne se révéleront vraiment qu'à l'instant de sa mort.

*
* *

Le double meurtrier

Le film s'appelle Mina Tannenbaum. *C'est le premier long métrage, en 1993, d'une jeune cinéaste nommée Martine Dugowson. Un*

14. Maurice Boutel, *Brigade des mœurs,* film noir et blanc de 1959, René Château vidéo, 1994.

film sur l'amitié, le récit de deux vies parallèles. Celle de Mina, jeune peintre idéaliste que ses rêves d'intégrité et son désir d'absolu isolent progressivement ; celle d'Éthel, journaliste ambitieuse prête à toutes les compromissions pour atteindre ses objectifs. Un film, aussi, sur le destin. Lorsque Éthel et Mina se rencontrent, enfants, c'est le début des événements de mai 1968. Le 2 mai, plus précisément. Une date qui, curieusement, rappelle la mort de Dalida. Un hasard, sans doute. Au moment où les deux fillettes se croisent, deux anges apparaissent en haut de l'écran. L'un des deux croit que la rencontre était prédestinée puisqu'elle a lieu, dit-il, le 2 avril, ce qui correspondra plus tard à la date du décès de Mina. L'autre ange lui dit qu'il se trompe. Qu'on est le 2 mai, pas le 2 avril. Et que tout ça ne veut rien dire. Qu'il faut, plus que tout, éviter de surinterpréter.

Enfant, Mina souffre de graves problèmes oculaires. Elle porte des lunettes aux verres épais. On l'insulte, on l'ostracise. Comme Dalida qui, toutes les biographies le disent, a été opérée cinq fois pour un strabisme convergent, dont trois fois au cours de sa petite enfance : « [...] on me disait toujours "quatre-z-yeux" ou "tu louches" ou des choses comme ça ». Une coïncidence, j'imagine.

Mina est la fille d'une couturière. Pendant la guerre, sa mère fait des travaux à domicile pour ramener de l'argent à la maison. Une situation analogue à celle de la mère de Dalida, couturière elle aussi, chargée seule de faire vivre ses enfants pendant que son mari est enfermé dans un camp. Un hasard de plus.

Pour rappeler l'époque de la guerre, on entend la voix de Rina Ketty. Elle chante J'attendrai, *l'un de ses plus grands succès, repris par Dalida en 1976. Le hasard s'affine. Les yeux, la couture, Rina Ketty, ça fait beaucoup. On ne s'étonnera pas de voir apparaître un peu plus tard l'image de Rita Hayworth en Gilda, au moment exact où elle retire ses gants. La mémoire de Dalida et de ses modèles rôde dans le film, qui soulève par ailleurs la problématique du double.*

Adolescentes, Éthel et Mina sont un soir assises à la table d'un café. Elles discutent, et la voix de Dalida s'élève d'un juke-box. Elle chante Il venait d'avoir dix-huit ans. *Éthel contrefait les gestes et la voix de la chanteuse, se moque d'elle : « Elle est débile, cette chanson ». Mina répond du tac au tac : « Mais non, elle est pas débile. C'est toi qui comprends rien ». Une vive altercation s'ensuit. Et pendant qu'elles s'engueulent, on voit leurs doubles respectifs prendre place à leurs côtés. Éthel se lève, s'apprête à partir, continue d'invectiver Mina tandis que leurs doubles se battent. Fin de la bataille : Éthel quitte le café avec son impalpable* alter ego. *Mina reste là, seule avec son fantôme. Dalida se remet à chanter.*

Éthel et Mina grandissent, se disputent, se réconcilient, se disputent encore jusqu'à la rupture. Éthel réussit sur le plan professionnel, Mina s'enferme chez elle et gagne sa vie comme copiste. Seule. Elle se bute à l'incompréhension du monde extérieur, captive d'un désespoir latent qu'elle combat de son mieux mais qui s'installe, insidieusement, jusqu'à l'habiter complètement. Plus tard, beaucoup plus tard, elle part à la recherche d'Éthel. Elles se retrouvent, se donnent rendez-vous pour le samedi suivant. Mina, réjouie, se dit que la vie peut être belle, « qu'il suffit de savoir la prendre ». Le jour venu, le téléphone sonne chez Mina. Éthel lui laisse un message sur le répondeur. Elle n'est plus disponible, elle rappellera plus tard.

À la sortie de son film, Martine Dugowson explique aux journalistes qu'elle l'a écrit en commençant par la fin. Or, la fin, c'est Mina qui reçoit le message et qui craque. Mina, qu'un simple rendez-vous raté dévaste, anéantit. Elle erre dans son appartement, ouvre la télé. Par hasard (?), elle tombe sur Dalida qui chante Il venait d'avoir dix-huit ans. *Elle regarde la star, souriante, crinière triomphante. La star morte quelques années plus tôt, d'un suicide dont les journalistes ont dit et redit qu'il avait été déclenché par un coup de fil, un message, un rendez-vous annulé. Notez que tout ça, c'était peut-être de la fiction. Mais il reste que c'est ce qu'on a dit. Toujours est-il que Mina se lève. Et pendant que Dalida continue de chanter, elle se dirige vers la salle de bain, ouvre la pharmacie. Autre séquence : Mina gît sur le plancher du salon. Suicidée. Comme Dalida. Et dans les mêmes circonstances. En l'écoutant chanter. Mina Tannenbaum est morte, captive du spectre de la chanteuse disparue, double saccageur jadis empêtré dans ses propres miroirs.*

*
* *

LE MOI FRAGMENTÉ

« "La vie m'est insupportable, pardonnez-moi." Ce message, par lequel Iolanda [*sic*] Gigliotti prit congé du monde après trente-deux ans de carrière, marqua de manière irrécusable le congédiement de son double : Dalida, la chanteuse et l'actrice[15] ». Cette phrase de Jean-Claude Klein tient lieu d'amorce au bref article qu'il consacre à la vedette

15. Jean-Claude KLEIN, « Dalida », *Encyclopaedia Universalis*, Paris, 1988, p. 544.

dans l'encyclopédie *Universalis*. Sans autre préambule, il pose comme une évidence le caractère incontournable de ce motif du double dans l'univers dalidien. Un motif sur lequel Catherine Rihoit brode à son tour en évoquant « un dédoublement meurtrier entre Dalida et Yolanda[16] ». Un double, donc, lié au suicide ; conforme en cela aux observations du psychanalyste Otto Rank qui, dans ses travaux, se penche sur la « signification primitive du double comme messager de la mort[17] », et décline une série d'exemples qui mettent en scène des personnages imaginaires poursuivis par leur double jusqu'à vouloir l'assassiner. Un double auquel s'intéresse également, plus près de nous, le psychiatre Bernard Chauvot qui s'attarde, en 1988, aux « Événements de vie dans des suicides célèbres ». Dans le cadre d'une communication portant essentiellement sur le suicide d'écrivains majeurs, on a la surprise de voir le nom de Dalida côtoyer ceux de Sylvia Plath, de Romain Gary, de Gérard de Nerval ou d'Ernest Hemingway[18]. Selon Chauvot aussi, les pulsions suicidaires résultent d'un rapport douloureux au double. Sauf qu'à son avis, le suicide n'est pas obligatoirement synonyme d'une rupture avec un double envahissant ; il peut, au contraire, signifier la détresse qu'engendre « l'impossibilité de trouver

16. Catherine RIHOIT, *Dalida*, Paris, Pocket, 1997, p. 127.

17. Otto RANK, *Don Juan et le double*, Paris, Petite Bibliothèque Payot, 1990, p. 135.

18. Bernard CHAUVOT, « Événements de vie dans des suicides célèbres », *Psychologie médicale*, vol. XX, n° 11 (novembre 1988), p. 1615-1620.

un double positif – ou sa perte après l'avoir trouvé ». C'est, selon lui, ce qui aurait précipité Dalida dans l'abîme : la disparition prématurée d'un double complémentaire, Luigi Tenco en l'occurrence, et le vide subséquent à la perte de ce compagnon qui seul aurait su combler « la faille existentielle » qui l'a engloutie. Bien que scientifique, cette lecture vaut ce qu'elle vaut. L'interprétation, hâtive, laisse un peu songeur, d'autant plus que le psychiatre fonde ses observations sur des considérations biographiques parfois erronées, entre autres quand il résume la situation familiale de la vedette. Mais en dépit des doutes, sérieux, que soulève l'analyse de Chauvot, elle témoigne tout de même d'une récupération du personnage Dalida par le discours savant (ce qu'on aurait difficilement imaginé avant sa mort), et signale, autrement, l'importance que revêt la notion de double dès qu'il s'agit de déplier le personnage pour l'examiner sous toutes ses coutures.

Cependant, aussi encombrant soit-il, le motif du double ne constitue que l'esquisse d'un long processus de fragmentation, le fil qui sert à tisser la toile d'araignée. Dalida n'est pas que double, elle est multiple, comme elle le clame dès 1980 dans une chanson autobiographique qu'elle garde des années durant en exergue à son tour de chant : *Je suis toutes les femmes*. Le texte, qui risquerait peu de passer à la postérité si ce n'était de la position privilégiée qu'il occupe dans son répertoire, glorifie la pratique d'une diversité qui l'incite à explorer les styles musicaux et les formes de spectacles les plus disparates : « Je suis toutes les femmes [...]/ Je suis sentimentale/ Et parfois femme fatale, aussi [...]/ Je suis reine du disco/ Et l'amie de Pierrot, aussi...[19] ». Lorsqu'elle crée ce numéro en ouverture de son *show* au Palais des sports, devant un mur de miroirs qui répercute son image, Dalida se targue d'un éclectisme qui n'engendrera bientôt que la dispersion. Une chanson un peu gauche, que s'appropriera très vite le transformiste québécois Jean Guilda, ex-danseur de Mistinguett converti depuis des lustres au travestissement. *Je suis toutes les femmes*, c'est, sur des orchestrations de *ball-room*, une œillade de plus au passé. Robe en lamé, étole d'hermine sur l'épaule, Dalida s'auto-auréole d'une royauté de pacotille plus triste que spectaculaire. Inquiétante. Surtout si, à la voir revendiquer cette multiplication de sa personnalité, on garde en tête ce qu'elle déclarait trois ans plus tôt à Jean-François Josselin (qui n'a jamais raté une occasion de dire tout le bien qu'il pensait d'elle) :

> *Il y a eu un conflit intérieur qui était très important et très grave. J'étais comme un kaléidoscope et si on me touchait, je partais en mille morceaux. Il a fallu que je ramasse tout ça et que j'unifie tout ça. Alors, maintenant, je crois que la synthèse, elle est faite*[20].

On peut s'interroger quant à la réussite de cette synthèse ; en revanche, l'image du kaléidoscope,

19. *Je suis toutes les femmes*, texte de Michaële, musique de Lana et Paul Sébastian, éd. Binko Music, 1980.

20. *Aujourd'hui magazine, op. cit.*

elle, paraît on ne peut plus appropriée. De sa naissance à sa dissolution, le personnage Dalida s'étale (s'étiole ?) dans toute sa multiplicité. Qu'on laisse de côté les doubles de la chanteuse pour s'attarder à sa singularité, un obstacle se dresse. Parce que cette singularité, justement, est multiple. Presque polyphonique. On a beau s'efforcer d'oublier les ombres qui tourmentent Dalida, vouloir conserver une vision – une seule – de ce qu'elle incarne, on se heurte à une pluralité d'images discordantes, antinomiques. On peut souhaiter la libérer du spectre de Yolanda, il n'en reste pas moins que l'artiste n'est pas une, mais plusieurs. « Toutes les femmes » ; ou plutôt, différents morceaux d'une personnalité fracturée, fragments déchirés de photos distinctes qu'il serait vain de réunir en un seul cliché. « Toutes les femmes », entre autres de par son état civil : ce statut d'Italo-Égyptienne de nationalité française, qui lui fait prendre racine dans une terre mouvante, et dont il résulte aujourd'hui qu'on la perçoit comme le symbole par excellence du multiculturalisme. « Toutes les femmes », à cause de son répertoire éclaté (tant sur le plan des textes que sur celui de la musique) ; ce pourquoi on voit désormais en elle une ancêtre du *world beat,* la pionnière du *raï.* Un indiscutable métissage, dont témoignent son accent et sa faculté de chanter en plusieurs langues. Un métissage protéiforme, qui lui a permis de rejoindre les publics les plus disparates et d'asseoir sa popularité bien au-delà des frontières de la France, au fil d'une carrière en trois temps échelonnée sur autant de décennies.

*
* *

1956-1966
LES ANNÉES D'APPRENTISSAGE

« Bonjour, je m'appelle Yolanda Gigliotti. Je ne pense pas que Dalida a [*sic*] une histoire. Il faudrait bien qu'un jour j'en invente une[21] ». Au moment de faire cette déclaration à la télévision, en 1958, Dalida est depuis deux ans l'une des vedettes les plus populaires de France. Elle travaille déjà à l'élaboration de sa légende, en mettant de l'avant le côté latin de ses origines, racontant à qui veut l'entendre ce qu'elle contredira plus tard :

> [...] *tout le monde croit que je suis Égyptienne. C'est faux. Je suis Italienne. Tout à fait Italienne. Je suis née en Calabre, à Serrastrata, le village natal de mes parents. Mon père était violoniste. Mais il ne trouvait pas d'engagements en Italie. On lui a proposé une place à l'Opéra du Caire. Il a accepté. Voilà pourquoi j'ai passé toute mon enfance en Égypte*[22].

Officiellement débarquée à Paris le 24 décembre 1955 (jolie date pour fêter ultérieurement l'arrivée de la déesse-mère dans la Ville lumière), elle chante à la Villa d'Este ou au Drap d'or, histoire de gagner sa vie en espérant retenir éventuellement

---

21. Philippe Kohly, *Dalida, le grand voyage*, *op. cit.*
22. J. Tournier, *Les Veillées*, n° 287 (12 mars 1960).

l'attention des metteurs en scène et des producteurs de films. Elle rencontre Bruno Coquatrix, qui l'invite à participer au concours *Les numéros un de demain* à l'Olympia. Elle s'y fait remarquer par Eddie Barclay, jeune producteur de disques, et par Lucien Morisse, éminence grise d'Europe 1, la nouvelle station de radio en vogue. Les choses se bousculent : elle enregistre *Bambino* le 28 décembre 1956. Le succès, foudroyant, la propulse au rang d'idole de la chanson de variété. Allégorie vivante de l'exotisme et de la légèreté, elle touche un large public, mais énerve les critiques qu'inspire davantage la chanson à texte, en plein essor sur la rive gauche parisienne. Ils ne sont pas tendres avec elle, exaspérés – entre autres – par ses rengaines souvent repêchées en Italie, en Grèce ou aux États-Unis, traduites expressément pour elle ou glanées dans le répertoire de ses collègues. À ce chapitre, l'opinion de l'écrivain et journaliste Lucien Rioux est typique du discours critique de ces années-là :

> *Que chante-t-elle ? Tout. Dalida n'a pas de répertoire. On ne peut jamais dire « une chanson de Dalida » et cela accentue l'étrangeté du phénomène. Il suffit qu'un air soit assuré du succès pour qu'aussitôt Dalida l'enregistre.* [...] *Elle est napolitaine, elle est rock, elle est twist.* [...] *Italienne et Égyptienne, fille du soleil et des terres brûlées, Dalida est tout cela. Exotique.* [...] *À cela tient son succès.* [...] *Mais rien ne prouve que dans quelques années, Dalida ne sera pas oubliée et remplacée par une*

> *copie tellement semblable à l'original que le public ne se sera pas aperçu de la substitution. La déesse aura simplement changé de nom*[23].

Même s'il fera plus tard amende honorable, Lucien Rioux, en 1966, n'apprécie pas du tout le travail de Dalida. D'ici à ce qu'il se ravise, il ne fait pas dans la subtilité, oubliant notamment d'expliquer que cette pratique qui consiste à piger des chansons un peu partout est courante à l'époque. Les partitions commercialisées des refrains populaires des années 1950 et 1960 l'attestent, qui associent à un titre connu une kyrielle d'interprètes ; un artiste responsable du succès de la chanson, et beaucoup d'autres, qui la reprennent à leur compte. Un exemple : pour le seul *Buenas noches mi amor* de Marc Fontenoy et Hubert Giraud, la partition imprimée en France indique le nom de 17 interprètes[24]. Cette pratique, du reste, n'est pas l'apanage des seules vedettes populaires. Côté rive gauche, la tendance est la même. Barbara chante Brel et Brassens ; Monique Morelli ou Cora Vaucaire interprètent Prévert et Aragon. Pour les uns comme pour les autres, il ne s'agit pas tant de se constituer un répertoire personnalisé que de se forger une personnalité artistique en fonction d'un type de chansons, à la manière des artistes lyriques qui ne s'inquiètent

---

23. Lucien Rioux, *20 ans de chansons,* Paris, Arthaud, 1966, p. 65-66.

24. « La bourse des chansons », *Platine,* n° 11 (avril-mai 1994), p. 64.

jamais de frôler les plates-bandes de leurs concurrents. Aussi, lorsque Jean-Claude Klein s'inscrit dans la même logique que Lucien Rioux et affirme à son tour, en 1988, que Dalida souffre d'une « absence de répertoire : la plupart de ses succès étant constitués de reprises, en *cover,* de chansons déjà illustrées par d'autres interprètes avant d'être coulées dans le moule vocal et phonétique qui lui [est] propre[25] », il pèche lui aussi par omission. D'abord parce que cette réalité ne concerne pas que Dalida, ensuite parce qu'elle n'est que partielle ; les chansons originales, rares à ses débuts, seront légion plus tard.

En attendant, il est vrai qu'elle fréquente assidûment les lieux communs de l'amour-toujours ; vrai, aussi, qu'elle privilégie l'exotisme, façon de faire vibrer les cordes sensibles des nombreux immigrants de France, tout en posant, en parallèle, les premiers jalons de sa carrière internationale. Quelques années après ses débuts, elle chante en italien, en espagnol, en allemand, en anglais (et même en néerlandais). Pour la France, elle enregistre des textes où le français voisine avec l'italien, et multiplie en chanson les allusions aux pays les plus divers. Au cours de la seule année 1956, elle évoque sur disque l'Italie (*Bambino, Violeterra*), l'Espagne (*Guitare flamenco*) et le Portugal (*Fado*). Le Brésil suivra bientôt (*Dans les rues de Bahia*), ainsi que la Grèce (*Les enfants du Pirée*). Tout bien considéré, il est vrai que le répertoire de ses années d'apprentissage fleure parfois le racolage ; aussi

25. Jean-Claude Klein, *op. cit.*

peut-on comprendre qu'elle apparaisse aux yeux de certains comme un simple produit de consommation, une étoile filante dont le succès est exclusivement tributaire d'une technique de vente agressive. « Dalida, on l'a vendue comme un jambon », tranche Juliette Gréco dans une entrevue au cours de laquelle elle évoque la commercialisation de son métier[26]. Sans doute fait-elle allusion au matraquage radiophonique des disques de la chanteuse sur l'antenne d'Europe 1 ; ce matraquage qui nous impose aujourd'hui Céline Dion ou Lara Fabian, et dont l'initiative reviendrait, de l'avis de plusieurs, à Lucien Morisse, premier compagnon connu de Dalida. Matraquage envahissant, bruyant, à l'image de l'artiste qui se fait reprocher ses tenues de scène extravoyantes, et sa voix tonitruante qui explose sur scène dans un tonnerre de décibels :

> *Elle me semble être, parmi les vedettes de music-hall, le plus parfait produit d'une publicité soigneusement menée. Sa technique employée pour charmer les foules est fort simple : en ouverture, un morceau d'orchestre avec solo à la batterie pour « chauffer » la salle, ensuite une sonorisation à ce point nuisante que la moindre chanson devient un long hurlement, un mépris total des paroles, un répertoire où alternent le rythme*

26. *À voix nue – Grands entretiens d'hier et d'aujourd'hui,* extrait d'une entrevue avec Hélène Hazera diffusée le 8 février 2001 sur le site Internet de France-Culture : http://209.8.233.3/titres/avoixnue.html (page consultée à 21 heures, le 11 juillet 2001).

sans paroles et la romance sans rythme. Il se peut que, sur un public très jeune, cette orgie sonore ait quelque effet. J'avoue, bien humblement, ne pas priser la technique du cinérama au music-hall[27].

Mais la perception des critiques, Dalida n'en a que faire. Un brin démagogique, elle envoie paître gentiment un journaliste qui lui reproche l'insipidité de certaines de ses chansons, en l'accusant de mépriser le public avide de ses disques. De 1956 à 1966, elle paraît frivole, insouciante, sûre d'elle. Personnification du plaisir de vivre, elle chante avec aisance des chansons « faciles », tout en risquant quelques incursions, réussies, du côté de la chanson dite « de qualité ». À quelques reprises, elle flirte avec Aznavour et Bécaud, eux qui, les premiers, lui donnent la chance de monter sur les planches de l'Olympia. Elle chante aussi, de Guy Béart, l'émouvant *Allô... tu m'entends ?* et l'adaptation française de *Where have all the flowers gone* (*Que sont devenues les fleurs*) de Joe Hickerson et Peter Seeger. Elle interprète Charles Dumont, réputé pour ses collaborations avec Piaf, ainsi que Georges Moustaki, dont elle retient *Milord* (en allemand et en italien) et *La fille aux pieds nus.* Serge Gainsbourg écrit pour elle *Je préfère naturellement* et Pierre Barouh lui confie la chanson *Eux,* qui figure dans *L'inconnue de Hong Kong.* De Jacques Brel, enfin, elle enregistre *Quand on a que l'amour,* en 1957, alors

27. Jean Basile, « À la Comédie canadienne – Dalida », *Le Devoir,* 21 février 1962.

que peu d'interprètes acceptent encore de se mettre à son service. (Quand elle lui rendra hommage, vingt-quatre ans plus tard, certains mettront en doute sa crédibilité ; ils auront oublié – ou n'auront jamais su – qu'elle aura été l'une des premières à lui prêter sa voix.) Délaissant de temps à autre la romance sentimentale et les refrains exotiques pour frayer dans les eaux de la chanson à texte, elle se montre capable d'une polyvalence tous azimuts ; capable, également, d'une justesse et d'une sobriété qu'elle saura bientôt mettre de l'avant.

*
* *

« Madame Bovary, c'est... »

Février 1984, 11 heures du matin. Les guichets du Théâtre Saint-Denis ouvriront leurs portes dans une heure. Soixante minutes à patienter avant qu'on ne mette en vente les billets du prochain spectacle de Dalida à Montréal, prévu pour la mi-mars. Je croyais être en avance, j'arrive déjà trop tard pour espérer les meilleurs sièges. Plusieurs m'ont précédé, qui attendent en ligne depuis l'aube pour être sûrs d'obtenir les places des premiers rangs. Ils sont là, des gens de tout âge, de toutes les couches sociales, de toutes les nationalités. Des jeunes branchés et des dames d'un certain âge, des hommes d'affaires et des commis de bureau, des

Québécois de souche et des représentants des principales communautés ethniques de la métropole : Italiens, Grecs, Arabes. Quelques universitaires, aussi. J'ai même la surprise de reconnaître, les yeux baissés sur son Sartre, un étudiant en littérature qui s'était bruyamment payé ma tête un jour qu'il m'avait vu, à la cafétéria, déballer la pochette d'un album ancien de Dalida que je venais de dégoter à prix fort chez un disquaire du voisinage. À en juger par la place, enviable, qu'il occupe dans le rang, j'en déduis qu'il doit faire la file depuis 5 ou 6 heures du matin…

Emmitouflée dans son renard argenté, une vieille dame à breloques vient joindre les rangs. Je lui demande de guetter ma place, mû par l'irrésistible envie de me promener dans la file pour poser une question, une seule, à ces fans dont je n'entends jamais parler que par ouï-dire. Une question : celle que le journaliste Yves Tachereau avait un jour posée à Diane Dufresne. Aux jeunes comme aux vieux, aux gays comme aux hétérosexuels, aux Italiens comme aux Arabes, aux rats des villes comme aux banlieusards, je demande la raison profonde de leur amour pour Dalida, ce qu'elle représente à leurs yeux. La réponse, la même, fuse de partout comme une évidence. Avec emphase ou gravité, à voix haute ou à voix basse, le regard franc ou les yeux baissés, tous et toutes me répondent sensiblement la même chose : « Dalida, c'est moi ! ». Seul Sartre détourne les yeux ; son silence est un aveu. À moins qu'il ne songe à cet instant précis à la célébrissime phrase de Flaubert : « Madame Bovary, c'est moi ». Chacun ses références, après tout...

« Dalida, c'est moi ». En entendant la réponse, il me reviendra en mémoire un titre qu'elle avait enregistré en 1957 : Histoire d'un amour *; une chanson espagnole, traduite en français par Francis Blanche, qui s'intégrerait beaucoup plus tard au scénario du film* Gazon maudit *de Josianne Balasko :* ***Mon histoire, c'est l'histoire d'un amour, Ma complainte, c'est la plainte de deux cœurs, Un roman comme tant d'autres, Qui pourrait être le vôtre, Gens d'ici ou bien d'ailleurs****... « Dalida, c'est moi ». Femme androgyne d'hier et d'aujourd'hui, accent d'autre part et d'ici, chanteuse intemporelle et polymorphe en laquelle chacun, s'il le souhaite, peut sans encombre projeter une part de lui-même.*

* * *

1967-1977
LES ANNÉES-LUMIÈRE

Les années qui suivent sont celles de la métamorphose. Après la mort violente de Luigi Tenco, en 1967, après sa propre tentative de suicide, un changement s'amorce quant à sa façon de pratiquer son métier. Conséquemment à son travail personnel d'anamnèse et d'analyse, elle fait montre sur scène d'une gravité nouvelle. Sa rentrée à l'Olympia, en octobre 1967, donne le coup d'envoi. « J'ai décidé de vivre[28] », assure-t-elle au lever du rideau, dans une chanson à caractère autobiographique dont le titre renvoie à la une de l'édition de *Paris Match* qui salue sa presque résurrection, juste après qu'elle eût échappé *in extremis* à la mort[29]. De plus en plus, ce qu'elle chante résonne avec les propos qu'on lui prête hors scène : au point qu'il devient difficile de l'écouter sans imaginer la part d'elle-même lovée dans ses chansons.

Son répertoire, cependant, ne change pas du tout au tout instantanément. Pendant trois ans, elle semble en période de transition. Quelque chose a changé, certes, mais on pourrait croire qu'elle surnage dans un entre-deux. En studio comme sur scène, elle chante à la fois des ballades

28. *J'ai décidé de vivre,* texte et musique de Michel Laurent, éd. Carrère, 1967.

29. « J'ai décidé de vivre et je remercie Dieu », *Paris-Match,* nº 937 (25 mars 1967).

inconsistantes (voire franchement navrantes) et des textes de haute tenue (je pense notamment aux *Deux colombes* de Gianni Esposito, dérivé de la *Divine comédie* de Dante). En 1971, elle enregistre *Avec le temps*. Lorsqu'elle se présente de nouveau à l'Olympia, c'est pour offrir à son public un spectacle presque entièrement renouvelé. Soucieuse de partager avec l'auditoire les fruits de son évolution intime, elle lui donne à entendre, outre l'œuvre de Ferré et celle de Tenco, des pièces de Serge Lama, de Michel Sardou ou de Boris Bergman, sans compter les morceaux d'auteurs moins connus (Sébastien Balasko, Michaële) qui ne déparent en rien le tableau. Loin du prêt-à-chanter, elle épouse du sur mesures, du cousu main. Seule en scène devant un rideau de tulle qui dissimule les musiciens, sans accessoires ni décor, avec pour tout costume une longue robe blanche sans ornements (sensiblement la même jusqu'en 1977), elle livre avec une absolue simplicité des œuvres nouvelles auxquelles se greffent certains titres de valeur gravés dans sa jeunesse. On comprend alors qu'elle a mis un terme à la course au succès qu'elle s'imposait auparavant :

> *À un certain moment de la vie, d'une carrière d'un artiste, il faut que l'on ne soit plus un 45 tours, mais que les gens, ils viennent nous voir, pas parce qu'ils connaissent nos chansons, mais* [...] *pour nous, parce qu'ils ont confiance en nous...*[30].

30. Michel Dumoulin, *Dalida « pour toujours »*, 1977, René Château, 78 minutes.

À mesure qu'elle se transforme, le discours critique se modifie. Ceux qui la méprisaient hier s'inclinent devant le professionnalisme de celle qui se démarque enfin de tous les artistes à la mode. Lorsqu'en 1975 elle effectue une première tournée au Québec, les critiques les plus récalcitrants avouent leur surprise de la voir évoluer sur les planches avec une intelligence qu'ils n'espéraient pas :

> *Au lever du rideau* [...], *Dalida s'est avancée du fond de la scène vers le micro, et mon rire plein de préjugés (vous croyez à l'objectivité, vous ?) s'est figé bien net !* [...] *Une main levée doucement, un effet de chevelure, une façon de rester droite et souriante pendant les applaudissements du public, autant de manières d'être là, bien vivante et personnelle, sur une scène*[31].

Le critique du *Devoir* n'est pas le seul à s'amender. Comme plusieurs de ses collègues montréalais qui attendaient la chanteuse de pied ferme, le chroniqueur Georges-Hébert Germain, de *La Presse,* fait à son tour acte de contrition :

> *Me croiriez-vous si je vous disais que j'avais les yeux pleins d'eau quand Dalida chantait « Il n'avait que dix-huit ans »* [*sic*] *ou « Ta femme » ou « Avec le temps » de Ferré ? Me croiriez-vous si je vous disais que j'avais la gorge serrée et les sangs glacés en l'écoutant*

31. Yves Tachereau, « Bonne Dalida, mais oui... », *Le Devoir,* 14 avril 1975.

chanter « Je suis malade » de Lama ? Si je vous disais que ma voisine dans sa belle robe de velours pleurait ? Et tout le monde alentour qui reniflait, se mordait les lèvres et se mouchait discrètement en poussant des petits rires nerveux ! Et nous nagions dans ce golfe d'émotions, insoucieux de toutes les insignifiances ou les méchancetés qu'on peut trouver ou s'entendre dire [...] *au sujet de ce genre de spectacle. Dalida émeut parfaitement. C'est la qualité première et ultime des grands artistes de scène*[32].

Hier encore, on ne voyait en elle qu'un objet de spectacle au service d'une machine commerciale ; aujourd'hui, on se fait un point d'honneur de préciser que c'est « Dalida qui mène le bal, pas une mécanique dont elle ne serait que le jouet[33] ». Le critique voit juste. Depuis 1970, la chanteuse mène sa barque seule, ou presque. Soumise pendant quatorze ans aux règles de l'écurie Barclay, modelée par le grand patron de l'entreprise et par Lucien Morisse, son pygmalion, elle tient maintenant les rênes de sa carrière avec le support de son frère cadet, Bruno Gigliotti, alias Orlando[34]. Elle choisit elle-même ses chansons, s'occupe seule de la mise

---

32. Georges-Hébert GERMAIN, « Dalida : quand l'émotion triomphe », *La Presse*, 11 avril 1975.

33. Bruno DOSTIE, « Au pays de Mireille Mathieu, Dalida est... », *Le Jour*, 12 avril 1975.

34. Orlando est le prénom du frère aîné de la famille Gigliotti. En se prénommant ainsi, le frère cadet de Dalida devient en quelque sorte... le double de son frère aîné.

en scène de ses spectacles, loin des préoccupations marchandes de ceux qui l'avaient mise au monde. L'Olympia 71, elle le produit elle-même, contrainte de louer à ses frais la salle de Bruno Coquatrix qui hésite à l'accueillir, convaincu que le changement de cap de son ex-protégée sera la cause d'un échec financier. Au seuil de la quarantaine, Dalida s'affirme comme une véritable artiste, dotée d'une voix singulière et d'un répertoire solide. Elle ne court plus après le succès et pourtant, elle vend plus de disques que jamais, en France comme à l'étranger. Dès l'instant où elle ose aller au bout d'elle-même, elle fracasse des records de ventes avec *Il venait d'avoir dix-huit ans* et *Gigi L'Amoroso* ; moments forts d'un spectacle qui tient avant tout du théâtre. La Dalida des années 1970 est une authentique comédienne, nettement plus proche de Serge Reggiani que de Luis Mariano. Chanteuse légère hier, tragédienne aujourd'hui.

« Le tournant [...] semble définitif », lit-on dans *L'Humanité-Dimanche*[35]. Le journaliste, hélas, se réjouit trop tôt. Pour des raisons connues d'elle seule et de son entourage (on pourrait épiloguer longtemps sur le sujet, on n'aboutirait qu'à des hypothèses), Dalida opérera bientôt un nouveau virage. Le second cycle de son parcours s'achève pourtant en beauté. En 1977, toujours à l'Olympia, elle crée l'œuvre de Roger Hanin citée plus tôt : *Et*

35. Raymond LAVIGNE, « Dalida à l'Olympia », *L'Humanité-Dimanche,* janvier 1977. Extrait de la critique publiée dans la pochette intérieure de l'album 33 tours *Olympia 77*, Sonopresse, 39716.

tous ces regards. Jamais encore elle n'a fait preuve d'une telle audace. Cette chanson, c'est l'envers du *show-business*, le refus radical des concessions, le choix de se dépasser en sollicitant l'effort du public pour qu'il s'ouvre à un univers différent, à la limite de la marginalité. Après l'avoir entendu chanter ça, on s'attend à ce qu'elle explore à fond le territoire de la chanson d'auteur. On croit qu'elle pourra désormais enregistrer moins de disques, se faire plus discrète sur scène, ne se manifester qu'au terme de longues périodes de réflexion, voire de recherche. On se dit même qu'après ça, elle pourrait mettre un terme à sa carrière avec la certitude d'avoir livré la marchandise. « Il faudra maintenant mettre de l'ordre/ Pour partir sans claquer la porte », dit-elle à travers les mots de Hanin. Loin de l'aider à mettre de l'ordre, les années à venir seront, sur le plan artistique, celles du désordre total. Hier chanteuse légère, aujourd'hui tragédienne et demain, meneuse de revue couverte de tenues extravagantes : « femme sauvage, Gilda, pailleté classique de luxe, cape d'exhibitionniste de square en plumes roses, assistante de prestidigitateur[36] ».

« Il est hors de question, pour moi, de sacrifier à la mode, car j'estime qu'en présentant mon tour de chant sous forme de show, ce serait pour ma part me déclasser[37] ». Ça, c'était en 1971. Vers la fin

---

36. Michel Cressole, « Dalida de gala : la veille, au Palais des sports », *Libération*, 11 janvier 1980.

37. Déclaration de Dalida au journal *L'Aurore*, en 1971 ; propos rapportés en 1976 par Pascal Sevran dans *Dalida – La gloire et les larmes*, Paris, Guy Authier éditeur, p. 194.

des années 1970, elle a changé d'idée. Il est permis de le déplorer ; même si, dans une perspective purement analytique, la Dalida haute en couleurs des années à venir est tout aussi fascinante que les précédentes.

*
* *

Don Juan 74

Gigi Giuseppe. Mais tout le monde l'appelait Gigi l'amour... *Que certains jugent cette chanson idiote reste pour moi un mystère, même si je conçois que son propos puisse rappeler les historiettes illustrées des romans-photos bon marché. Mais qu'on l'écoute autrement, qu'on s'en donne la peine, rien qu'une fois, et l'on risque d'y entendre une réactualisation du mythe de Don Juan. Mi-chantée, mi-parlée, cette histoire de Gigi relève tout autant de la dramaturgie que du music-hall. Des restes de Molière, des relents de Goldoni ; microdramatique servie par la verve d'une artiste qui fait éclater les couleurs chaudes et bariolées du pays de ses ancêtres. Une œuvre véritable qui, en dépit d'une mélodie accrocheuse et d'un rythme entraînant, n'a rien d'une chansonnette jetable après usage. D'ailleurs, quand la chanson mobilise les ondes, en 1974, elle bouscule les standards radiophoniques, ne* *serait-ce que par sa durée (8 minutes), qui la distingue des chansons uniformisées de 3 minutes 40 avec introduction orchestrale et pont instrumental entre les deuxième et troisième couplets. Un geste de résistance aux diktats d'une industrie musicale dont elle bafoue sans vergogne les règles étriquées.*

Et sur scène... Il faut voir Dalida sur scène, seule sur un immense plateau, arpenter les planches, ondulante, pour donner vie à tous les personnages de cet univers napolitain. Le héros lui-même, et toutes les femmes qui en sont éprises : la veuve du colonel, la femme du notaire, celle du boulanger ; et le voisinage tout entier qui l'acclame. Rien que la finale de Gigi *vaut le détour : les chœurs qui font entendre le bruit de la foule ; la chanteuse qui s'agite, commande aux enfants du village de prévenir les autres du retour de l'amant prodigue. Et cette critique à l'endroit des États-Unis... :* ***Qu'est-ce qu'ils comprennent ces Américains à part le rock et le twist*** *; cette flèche qu'elle leur décochera un jour sur leur propre territoire sans qu'ils s'en offusquent...*

Gigi, *c'est une chanson percutante, saisissante, qui n'intègre les pires clichés que pour les transcender. Une œuvre qui permet à Dalida – chanteuse et comédienne – de se montrer simultanément sous toutes ses facettes : explosive et modérée, grave et exaltée, vulgaire et sublime. En un mot : Fellinienne. Et certainement pas plus burlesque, après tout, que les héroïnes de l'opéra italien, pitoyables Traviata et autres amantes éperdues qui n'en finissent plus de mourir sur scène en miaulant. Pas plus ridicule que la Carmen de Bizet, solaire elle aussi, qui magnifie les vertus de l'amour « enfant de bohème », en bramant comme un cri de ralliement le mot d'ordre de son éternelle « Habanera ».*

*
* *

1978-1987
LES ANNÉES DE LA DÉCONSTRUCTION

Au moment où Dalida amorce un nouveau virage, la mode est au disco. Un son américain dont elle a déjà tâté en modernisant quelques chansons rétro, qui s'intégraient sans trop de mal à son répertoire. Quelques pas de danse sur *J'attendrai* ou sur *Besame mucho* agrémentés d'une rythmique primaire, c'était juste ce qu'il lui fallait pour mettre en valeur son sens inné du mouvement, une façon pour elle de bouger différemment sans se trahir pour autant. Mais voilà qu'en 1978, on voit débarquer de jeunes groupes de musiciens qui se trémoussent à la gloire de leurs aînés sur d'interminables pots-pourris disco, composites d'anciens succès des Beatles ou des Beach Boys. Coup de théâtre : Dalida fait la même chose avec ses propres chansons ; c'est-à-dire qu'elle enregistre sur le mode disco un pot-pourri d'une quinzaine de ses plus grands succès (*Génération 78*). Elle y chante des extraits de refrains qui l'ont rendue populaire, en alternance avec les interventions d'un tout jeune chanteur recruté pour célébrer la pérennité de la star. À la fois narcissique et iconoclaste, cette chanson constitue pour Dalida le premier pas sur le chemin d'une autocaricature qu'elle disait naguère vouloir éviter : « Il faudra que j'ose un jour être vraiment ce que j'aime, sans devenir ma propre caricature...[38] ». Une brèche est ouverte : elle s'y engouffre.

La chanson tourne à plein sur les ondes et dans les discothèques. Un public, constitué essentiellement de jeunes, danse sur la voix de la Dalida disco. Elle remet ça, et grave un autre morceau qui obéit au même principe : *Ça me fait rêver*. Celui-là dure 13 minutes, et regroupe des bribes d'une trentaine de ses chansons. Portée par la vague, elle décide de tenter une percée sur le territoire même du disco : les États-Unis. On raconte que l'Amérique, jusque-là, ne lui avait jamais inspiré qu'une vague indifférence ; qu'elle avait refusé, en début de carrière, un contrat avec l'impresario d'Ella Fitzgerald qui souhaitait en faire une vedette *made in U.S.A.* En novembre 1978, pourtant, elle se produit au Carnegie Hall de New York. Ceci dit, en dépit des pots-pourris disco, et malgré la présence de deux danseurs qui l'accompagnent le temps de trois

---

38. Pascal SEVRAN, *op. cit.*, p. 191.

numéros, ce spectacle, qu'elle présente à Montréal dans les jours qui suivent, ressemble encore à celui des années précédentes. D'ailleurs, elle prend soin de l'expliquer lors d'une rencontre avec les journalistes québécois : « [...] je ne vais pas mener une revue, je suis une chanteuse avant tout[39] ! ».

Les choses auraient pu en rester là si elle n'avait rencontré à New York le chorégraphe de John Travolta, Lester Wilson, qui se montre impressionné par sa maîtrise de la scène. Il lui propose de monter avec elle un *show* dans la plus pure tradition améri caine, elle accepte. Les rumeurs veulent que le spectacle soit créé à New York, qu'il soit présenté ensuite à travers l'Europe avant de revenir se poser aux États-Unis. Ça, elle refuse, dit-on. À l'entendre, l'Amérique demeure à ses yeux un satellite de l'Europe. Le *show* sera lancé à Paris, au Palais des sports. Une vaste campagne de publicité s'organise ; d'innombrables photos la montrent accoutrée de costumes criards révélant les lignes de son corps. Les radios la supportent, et font entendre à cœur de jour une chanson dont la rythmique et la mélodie rappellent les succès du groupe américain Village people : « Je vais, je viens/ J'ai appris à vivre/ Comme si j'étais libre/ Et en équilibre/ Laissez-moi danser...[40] ». Lorsqu'elle monte sur les planches du Palais des sports en janvier 1980, on la voit depuis

---

39. Claire CARON, « Retour de Dalida », *Le Journal de Québec*, 28 novembre 1978.

40. *Laissez-moi danser (Monday, Tuesday)*, texte de Toto Cutugno et Christiano Minellono, musique de Toto Cutugno, adaptation française de Pierre Delanoë, éd. Curci France, 1979.

un an, à la télévision, entourée de danseurs qui la mettent en valeur tandis qu'elle s'épivarde sur des chorégraphies qui ne lui conviennent pas toujours. D'une élégance indiscutable lorsqu'elle bouge sur des rythmes orientaux ou latins, elle fait montre d'une lourdeur quelque peu scolaire quand elle danse à l'américaine. Quoi qu'il en soit, elle danse : le disco, mais aussi le reggae et le *Lambeth walk,* une vieille danse jadis importée d'Angleterre.

Quelques semaines avant de présenter son *show* sur scène, elle crée la pièce qui en sera l'emblème : *Gigi in paradisco.* Curieusement, la suite de *Gigi L'Amoroso* fait d'abord mourir le héros, victime d'un crime passionnel. Qu'à cela ne tienne : il ressuscite au paradis où saint Pierre l'accueille à bras ouverts pour le remercier de ses innombrables bienfaits sur terre. Le paradis, ici, c'est l'Amérique déifiée. Admis dans le cercle des élus, Gigi se fait chanteur à la mode dans un éden survolté, un *paradisco,* comme l'indique le néologisme inscrit dans le titre : une mégapole bruyante, peuplée de discothèques qui donnent au héros trépassé la chance de « chanter en anglais, comme [il l'a] toujours rêvé ». Une chanson-prétexte, véhicule adapté aux besoins de la Dalida nouvelle qui profite d'un passage parlé pour poser les bases récentes de son personnage : « Et voilà que Giorgio revient et remplace sa guitare par une guitare électrique... Sandro ne joue plus de la mandoline, il joue les synthétiseurs et la thumba... Et moi... Moi j'apprends à danser...[41] ». Dalida

41. *Gigi in paradisco, op. cit.*

se redouble, se parodie, déchire en lambeaux la structure qu'elle avait patiemment édifiée. Tout ça ressemble à un dérapage, bien que les critiques absorbent le choc sans se lamenter. Sauf exception, le spectacle du Palais des sports récolte des commentaires élogieux, des papiers dithyrambiques de journalistes ébahis par son professionnalisme et par son audace. Loin de la critiquer, on louange l'évolution de la femme de quarante-sept ans qui libère en scène une énergie peu commune. Soyons juste : il est vrai que de voir Dalida en émule de Liza Minelli a quelque chose d'impressionnant. Il est évident qu'on reste stupéfait de son culot, de son aplomb. De son courage, aussi. Mais il est étonnant que cela suffise à faire accepter sans condition un répertoire nettement inférieur à celui des années précédentes.

Fort heureusement, le dérapage sera rapidement tempéré par un nouveau spectacle et par un autre disque, sorte de zone médiane qui permet d'espérer que l'aventure du Palais des sports n'ait été qu'une parenthèse. Pour fêter ses vingt-cinq ans de carrière, elle retourne à l'Olympia. « D'un spectacle gambadant, à hauteur de mollet, Dalida [revient] à un spectacle à hauteur de cœur[42] ». À mi-chemin entre le tour de chant des grandes années et le spectacle à grand déploiement, elle crée quelques nouvelles chansons dont l'une des plus fortes qu'elle ait jamais enregistrées : *Il pleut sur Bruxelles,*

---

42. Jean MACABIES, « Dalida à l'Olympia », *Le Figaro,* édition des 28 et 29 mars 1981.

magnifique hommage à Jacques Brel que le public de l'Olympia lui demande chaque soir de bisser. On pourrait la croire revenue à de meilleures dispositions ; il n'en est rien. Dans les années qui suivent, son répertoire s'égare dans toutes les directions. Chansons manifestement conçues dans le seul but d'attirer le succès, elles ne reçoivent souvent qu'un écho faiblard du public qui, s'il s'intéresse toujours à son personnage, semble se détacher un peu de sa production discographique. Au fil des disques, quelques perles, plusieurs scories. Et des pochettes sophistiquées où la chanteuse apparaît grimée en vamp ultrakitsch, en androgyne cigare au bec et cheveux plaqués ou en étoile du futur façon *Star Wars* ; photos qui forment un tout avec celles des magazines, si abondantes qu'on se demande parfois si l'essentiel du travail de l'artiste, à cette époque, ne consiste pas à se faire photographier.

En 1984, elle est le centre d'un spectacle télévisé qui sera commercialisé sous forme de vidéocassette. Ce spectacle est l'œuvre de Jean-Christophe Averty, réputé pour avoir maintes fois, par le passé, mis en image des artistes de toutes allégeances. À l'aise avec les infinies possibilités qu'offrent les techniques télévisuelles de pointe, il s'attaque au personnage Dalida – « un merveilleux objet de spectacle[43] » – en réalisant un mégavidéo de 76 minutes. Enrubannée comme jamais de

43. Remarque de Jean-Christophe Averty (avril 1984), publiée dans Sylvie COULOMB et Didier VARROD, *Histoires de chansons 1968-1988*, Paris, Presses Pocket, 1989, p. 95.

costumes signés par les plus célèbres griffes parisiennes, portée par une cohorte de danseurs sur des chorégraphies de Lester Wilson et de Larry Vickers, Dalida présente en six langues (et en *playback*) de nombreuses chansons, réduites pour la plupart à quelques fragments rassemblés en pots-pourris. Comme si les chansons importaient peu, comme s'il suffisait de montrer le corps de la chanteuse moulé dans une garde-robe luxuriante et d'en faire l'esclave d'une débauche d'effets spéciaux. Un spectacle tonitruant au titre chagrinant : *Dalida idéale*[44].

La Dalida idéale de Jean-Christophe Averty, c'est une femme qui ne chante jamais en direct. Une artiste dont les chansons n'existent plus qu'en pièces détachées. Une chanteuse en charpie dont on a gommé la presque totalité des œuvres consistantes ; une vedette noyée sous un déluge d'images en collision. Jusqu'à ce moment clé du spectacle où l'écran tout entier est meublé par une image-choc : celle d'une Dalida... en kaléidoscope. Retour à la case départ.

Dalida idéale, c'est une Dalida éclatée, tailladée. C'est exactement ce qu'elle avait réussi à ne plus être, au bout d'un long travail sur la mémoire qui l'avait transformée hier en artiste accomplie. Dalida idéale, c'est une Dalida non plus double, mais triple, mais quadruple, mais répercutée à l'infini. La rencontre en un seul corps de « toutes les femmes ».

---

44. Jean-Christophe AVERTY, *Dalida idéale*, émission réalisée en 1984, René Château Vidéo, EDV 409, 1993.

Autrement dit : personne. Parce qu'il est difficile d'être à la fois tout le monde et soi-même. Parce que le défi est de taille et que, jusqu'à preuve du contraire, seul Dieu lui-même est capable d'un tel exploit. Et encore... On n'a jamais pu vérifier.

*
* *

L'envers du masque

Son sourire. Dans les années 1980, elle sourit tout le temps. Bien sûr, ce qu'elle chante le lui permet. Mais son sourire a quelque chose de dérangeant, de forcé. On a peine à y croire. La joie de vivre qu'elle s'acharne à laisser transparaître en réclamant qu'on la laisse danser, le plaisir qu'elle souhaite mettre en évidence pour qu'il redouble le propos de ses chansons légères, si légères qu'elles pourraient s'évaporer, tout ça est inscrit dans ce sourire professionnel, semblable à celui des mannequins qui l'exhibent par devoir. Elle le porte depuis longtemps, ce sourire-là. Sur un document qui date de 1977, déjà, on la voit dans sa loge devant un groupe de journalistes. Elle fait face, toute simple, naturelle. Mais dès que les photographes braquent sur elle leurs objectifs, elle se transforme du tout au tout. Sourire instantané pour clichés à grands tirages. En une fraction de seconde, l'œil s'allume, le corps prend la pose, les lèvres s'ouvrent pour esquisser l'idée du bonheur.

Dans un numéro de Ciné-Revue, *publié quelques mois après sa mort, le chanteur Enrico Macias s'étonne qu'une femme capable d'un tel sourire se soit suicidée. On hésite à le croire naïf à ce point ; on se demande s'il ne joue pas lui aussi la comédie du spectacle, manière de laisser entendre au grand public que la mort de Dalida n'est peut-être que le triste résultat d'une impulsion morbide. Oui, bien sûr, jusqu'à la fin, elle sait sourire. Joue de ses lèvres avec maestria. Comme de ses mains, comme de ses cheveux. C'est indispensable, pour tenir l'image d'une meneuse de revue heureuse de se dandiner en proclamant qu'**il faut danser reggae**. C'est nécessaire, pour feindre sur scène de chanter* La vie en rose *; ou pour danser sans complexe au son de sa propre voix qui se déploie toute seule le temps d'un triste aveu : **Moi je vis, comme si j'étais libre, et en équilibre...** Comme si.*

« J'en ai tellement marre de lever la jambe... » C'est ce qu'on rapporte aujourd'hui, furtivement, dans sa biographie officielle. « Des photos, encore des photos ! [...] *J'ai l'impression de devenir une caricature de moi-même*[45] *». Ce sont les propos que Catherine*

45. Catherine Rihoit, *op. cit.*, p. 701.

Riboit attribue à Dalida en 1997. On ne s'étonne pas de les lire, on s'attriste simplement que, de son vivant, on n'ait jamais rapporté ces choses-là. On regrette que l'on se soit contenté de vanter son exceptionnelle faculté d'adaptation, son refus de regarder en arrière, les multiples facettes de son évolution.

Il paraît qu'au moment de mourir, elle devait enregistrer un nouvel album, composé de chansons joyeuses ; une « musique superbe, gaie, très légère, pleine de soleil ». Il paraît aussi que la fin de semaine où elle s'est tuée, une séance de photos avait été prévue, reportée à la semaine suivante à cause du mauvais temps. « Pour la circonstance, Dalida [dont les cheveux venaient à peine de retrouver leur pleine longueur] *devait porter une perruque courte, comme si elle s'était fait couper les cheveux*[46] *». Comme si…*

Son sourire. Quand je le revois, ce sourire, il me vient toujours en tête une réplique de la Saddika de Chahine (encore elle). Une réplique amère, désabusée. À Saïd, l'époux paralytique qui la complimente sur l'éternité de son sourire, Saddika – par la bouche de Dalida – répond du tac au tac : « Ce n'est plus un sourire ; c'est une cicatrice ».

---

46. Jean-Claude ZANA, propos d'Orlando rapportés dans *Paris-Match*, 22 mai 1987, p. 82.

5

CHRONIQUE D'UNE MORT ANNONCÉE

REGARDS SUR LES CHANSONS AUTOBIOGRAPHIQUES DE DALIDA

C'est un fil. Un fil d'Ariane qu'elle aurait déroulé derrière elle en arpentant les couloirs d'un labyrinthe. Un fil qui aurait pu lui indiquer le chemin du retour si elle avait fait volte-face et résolu de revenir sur ses pas. Elle ne l'a pas fait : elle est morte. On ne marche pas impunément à la rencontre du Minotaure pour le braver. Elle est morte, dévorée par le monstre. Mais le fil, lui, est toujours là, semblable aux cailloux du petit Poucet, pour nous inviter à refaire à l'envers le trajet qui l'a menée jusqu'au point de non-retour. C'est le fil de l'autobiographie, tissé de textes qui racontent si bien Dalida que nul ne pourrait se les approprier sans sombrer dans l'absurde. C'est un fil. Ou une chaîne, c'est selon. Une suite de chansons, de maillons, qui nous la montrent tantôt portée vers la vie, tantôt happée par la mort.

Dalida n'a jamais écrit ses chansons[1]. Aussi pourrait-on s'inquiéter de l'emploi du terme « autobiographie » dès lors qu'il s'agit de se pencher sur ce qu'elle chante. On comprend pourtant qu'il s'agit là d'un simple détail, d'une stricte affaire de terminologie. Elle n'a pas écrit ses chansons, c'est vrai.

---

1. Dans toute sa carrière, Dalida n'a signé qu'un seul titre. Il s'agit de l'adaptation d'une chanson de Luigi Tenco : *Lontano, lontano*. En français : *Loin dans le temps,* éd. Atalante, 1967.

Mais on lui a offert des textes qui correspondent si bien à ce qu'on sait d'elle que c'est tout comme si elle en était l'auteure. Créés par d'autres, pour elle, ils portent sa signature.

* * *

SOI-MÊME À DISTANCE
(« DALIDA... POURQUOI PAS ? »)

Il lui faut quelques années avant d'intégrer à son tour de chant des œuvres explicitement autobiographiques. Au cours du premier cycle de sa carrière, elle se limite à quelques allusions rapides à son personnage. Allusions à distance, comme celle qui surgit en 1961 dans la chanson humoristique *Achète-moi un juke-box.* À cette époque où elle se bat contre la vague yéyé qui menace de la submerger, elle pare le coup en chantant une ode twistante aux vedettes de l'heure : « Elvis Presley, Les chaussettes noires, Johnny Hallyday ». « Et Dalida ? », demande une choriste. « Mais qu'est-ce qu'elle vient faire là ? », répond la chanteuse. « Et Dalida » ? redemande la choriste après le dernier couplet ; « Après tout, pourquoi pas... », conclut la vedette. S'il est trop tôt pour parler d'autobiographie chantée, il faut tout de même noter ici ce premier clin d'œil autoréférentiel, la lucidité avouée d'une chanteuse qui s'efforce d'être dans le vent mais demeure consciente de ce qu'elle représente aux yeux d'une jeunesse attirée par les modèles américains[2]. Le phénomène est sensiblement le même lorsqu'elle chante *Baisse un peu la radio,* où elle incarne une jeune femme excédée par un vis-à-vis qui écoute à tue-tête les idoles du moment : Adamo, Claude François, « Mireille Mathieu avec son Crédo » ; qui écoute aussi Sheila, Hughes Aufray ; ainsi qu'Antoine, avec « ses cheveux longs à la Dalida[3] ». Les années légères ne sont pas celles de l'épanchement, mais celles d'innocentes références à soi-même. Lorsque Dalida se nomme en chanson, le procédé ne vise qu'à faire sourire l'auditeur, comme lorsque Marylin, naguère, se glissait au cinéma dans la peau d'une ingénue qui parlait de... Marylin Monroe.

*
* *

LA VIE DEVANT SOI
(« JE NE SERAIS PAS DALIDA SI... »)

Le fil de l'autobiographie, c'est après le crash de 1967 que Dalida commence à le dérouler. Après la mort de Tenco, dont elle a failli ne pas se remettre, elle chante – on s'en souvient – qu'elle a « décidé

---

2. *Achète-moi un juke-box,* texte de Clément Nicolas, musique de Charles Aznavour, éd. Aznavour, 1961.

3. *Baisse un peu la radio,* texte de L. Beretta et M. Delprete, musique de D. Pace et M. Panzeri, adaptation française de Michel Jourdan, éd. Sugarmusic, 1966.

de vivre ». À l'aube de la période la plus féconde de sa carrière, elle affirme un choix, une décision qui demeurera longtemps irrévocable. La mort restera derrière, l'avenir est ouvert, prometteur. Lumineux. Elle a failli mourir, mais elle vit. Elle vivra.

En 1974, Pascal Sevran traduit pour elle une chanson italienne qui, sous sa plume, devient *Ma vie je la chante.* Elle est à l'apogée de sa carrière, elle récolte des disques d'or à ne plus savoir qu'en faire. *Gigi L'Amoroso* et *Il venait d'avoir dix-huit ans* résonnent un peu partout sur la planète. Elle semble détendue, sereine. Intellectuellement curieuse, artistiquement épanouie, elle dresse dans le texte de Sevran le portrait d'une femme à mi-chemin de son existence, pleinement satisfaite du parcours accompli : « Je n'ai pas de regrets/ Cette vie elle me plaît/ Comme elle est[4] ». On a beau ne rien connaître de son intimité, ne pas être au fait de ce qui se joue derrière les projecteurs, il est difficile de ne pas la croire. Elle est au sommet de sa forme, de son art, de sa popularité ; parfaitement crédible quand elle exalte la joie de vivre et de chanter.

Crédible, elle l'est toujours, en 1977, lorsqu'elle s'avoue *Amoureuse de la vie* sur l'une des plages de ce qui demeure sans doute le plus achevé de ses albums studio. Au terme du second cycle de sa trajectoire, elle se rappelle « le petit pas vers l'autre bord » qu'elle faisait dix ans plus tôt ; et réaffirme

4. *Ma vie je la chante,* texte de Luciano Beretta, musique de Domenico Modugno et Topkapi, adaptation française de Pascal Sevran, éd. Curci France/RCA France, 1974.

une force de vivre qui semble désormais inaltérable : « Je suis là et c'est Dieu merci[5] ! ». Heureuse d'être là, heureuse de chanter, comme le suggère un second titre du même disque, *Il y a toujours une chanson,* qui l'amène à jeter un regard rétrospectif sur quelques faits marquants de sa jeunesse : ses problèmes oculaires, la mort de son père et ses débuts dans la chanson comme une porte ouverte sur le bonheur : « Un jour ce fut ma grande année/ Et c'est à vous que je la dois ». Avec quelques mesures de *Bambino* jouées par l'orchestre, tout y est pour que le public, complice, soit ravi de la reconnaissance qu'elle lui témoigne[6]. Une reconnaissance dont elle lui apporte d'ailleurs une autre preuve l'année suivante. Sur le point d'opérer le virage qui fera d'elle une meneuse de revue, elle enregistre *Voilà pourquoi je chante,* un texte essentiellement récité pour redire au public son bonheur de vivre en communion avec lui : « Pour un rideau qui tombe, un autre qui se lève/ Demain, et dans mille ans, je recommencerai[7] ». Elle navigue alors dans une zone frontalière, entre ce qu'elle était et ce qu'elle deviendra. Elle répond à l'appel des paillettes mais le discours autobiographique, lui, demeure sensiblement le même. En 1979, elle est

---

5. *Amoureuse de la vie,* texte de Pierre Grosz, musique de Gilbert Bécaud, éd. BMG Music France, 1977.

6. *Il y a toujours une chanson,* texte de Serge Lebrail et Pascal Sevran, musique d'Alec Costandinos, éd. Feffe/EMI Songs France, 1977.

7. *Voilà pourquoi je chante,* texte de Pascal Sevran, musique de Jeff Barnel, éd. EMI Songs France, 1978.

pétillante, presque malicieuse lorsqu'elle interprète *Comme disait Mistinguett* en énumérant les qu'en-dira-t-on dont elle est la cible, avant de conclure avec un air de je-m'en-foutisme : « On dit que j'aime bien les beaux garçons/ Mais dans le fond je préfère les chansons ». Une façon somme toute assez sympathique de réitérer le choix de la scène, tout en assumant pleinement son identité artistique : « On peut bien dire ce qu'on voudra/ Je ne serais pas Dalida/ Si j'n'étais pas comme ça[8] ».

* * *

LA MORT EN FACE
(« DALIDA… ? J'CONNAIS PAS. »)

Suivons le fil. Bientôt, il nous indiquera une autre voie, un autre corridor. Dalida aborde les années 1980 en enregistrant l'album *Gigi in Paradisco*. Un changement s'annonçait, il est maintenant manifeste. Cette année-là marque un renversement, une rupture définitive, et pas seulement en ce qui concerne son approche du disque et de la scène. Dans les années 1970, tragédienne, elle privilégiait les œuvres dramatiques ; mais ses chansons autobiographiques, elles, la révélaient solide, enracinée. À l'inverse, les années 1980 seront celles du faste et

---

8. *Comme disait Mistinguett,* texte de Pascal Sevran et Pierre Delanoë, musique de Jean-Jacques Debout, éd. EMI Songs France, 1979.

de l'apparente insouciance, mais ses titres autobiographiques mettront en lumière une fragilité qu'ils n'avaient encore jamais illustrée. À défaut de se rompre immédiatement, le fil chanté de son existence la guidera vers des corridors souterrains. Le décor sera glauque, l'éclairage incertain.

C'est avec *Je suis toutes les femmes* que les choses commencent à vaciller. On l'a vu plus tôt, cette chanson-là symbolise intrinsèquement la dislocation de l'identité artistique de la chanteuse. Avouer la démultiplication de sa personnalité, même avec le sourire, c'est avouer se perdre soi-même de vue, s'égarer à travers les miroirs. Bien sûr, au moment où elle la crée, la chanson ne paraît pas aussi inquiétante qu'elle ne l'est en réalité. Rien ne laisse encore présager la suite des événements. Les choses se précisent quelques mois plus tard, lorsqu'elle enregistre une version réécrite pour elle d'*À ma manière,* créée à l'origine pour Ginette Reno. Une nouvelle chanson-bilan, qui n'a cependant rien à voir avec celles qu'elle interprétait dans les années 1970 puisqu'elle rappelle à mots couverts l'ancienne dichotomie Yolanda-Dalida : « Ma vie [...] vaut mieux qu'une chanson, mieux que la gloire ». Du même coup, l'artiste introduit dans son répertoire le thème de la mort en herbe, un motif qui était absent de la version originale écrite pour Reno : « le jour où je m'en irai/ [...] je le ferai/ À ma manière[9] ». Depuis sa tentative de suicide ratée,

9. *À ma manière*, texte de Sylvain Lebel et Pascal Sevran, musique de Diane Juster, éd. Atalante, 1981.

c'est la première fois qu'elle chante sa mort au futur ; cette mort qui, jusque-là, ne se conjuguait qu'au passé. C'est la première fois qu'elle grave une chanson autobiographique douce-amère, plus sombre que sereine. La première fois, mais certes pas la dernière.

L'année 1981 s'ouvre avec un nouveau microsillon, qui contient l'une des œuvres les plus déconcertantes qu'elle ait chantées : *J'm'appelle Amnésie*. Sur une musique qui rappelle à la fois les dissonances de Kurt Weill et le roulis de la valse-musette, Dalida chante et joue la femme sans mémoire et sans passé : « Vous parlez de ma jeunesse, de la maison où je suis née/ Vous dites des noms, des adresses... vous devez vous tromper...[10] ». Sourire en coin, elle récupère le motif de la mémoire, jadis omniprésent dans son répertoire. Non plus, toutefois, la mémoire souffrante qu'elle chantait dans les années 1970, cette mémoire endeuillée qui l'avait guidée sur les chemins de l'introspection le temps d'une anamnèse et d'une analyse ; cette mémoire à laquelle elle s'accrochait pour chercher à se comprendre, pour dénouer le conflit qui opposait Yolanda à Dalida. Ce dont il s'agit cette fois, c'est, au contraire, de la négation même de la mémoire. Alors qu'hier elle s'acharnait à se souvenir pour mieux définir les contours de son identité, alors qu'hier elle voulait vivre, voilà qu'en 1981, désor-

---

10. *J'm'appelle Amnésie,* texte d'Élizabeth Pons et Didier Barbelivien, musique de Gérard Layani, éd. Marcy Music/ Atalante, 1981.

mais « toutes les femmes », envisageant de mourir « à [sa] manière », elle feint l'amnésie, la perte du souvenir et l'oubli du nom propre : « Vous racontez des chagrins d'amour que j'n'ai jamais eus.../ Et vous m'inventez des prénoms inconnus.../ Dalida... Dalida... ? Non vraiment, j'connais pas ! ». Le texte pourrait sembler cabotin : il ne l'est pas. Il pourrait paraître léger : il est tragique. « Dalida... j'connais pas », c'est l'oubli volontaire de soi-même, la déconstruction de l'identité, la fracture du soi. Un émiettement de la personnalité qui se confirmera l'année suivante lorsque la vedette enregistrera la chanson *Ensemble*, cet impossible duo réunissant les voix distinctes de « Yolanda et Dalida ». « Essayons d'être une fois ensemble », chantent-elles toutes les deux (!). Le seul emploi du verbe « essayer » montre bien que l'entreprise est vouée à l'échec. Quand Yolanda et Dalida chantent leur désir d'*essayer* de se réunir, elles confessent avant tout leur incapacité d'y parvenir. Et rappellent que l'artiste, en déclarant naguère être parvenue à les réconcilier l'une et l'autre, avait peut-être crié victoire un peu trop tôt.

*
* *

LA CHUTE

L'histoire continue. En 1983, la chute se dessine, de plus en plus prévisible. Quelques mois avant de couper ses cheveux, elle enregistre un disque qui compte non pas une, mais trois chansons autobiographiques. Des chansons qui, de surcroît, ont une allure explicitement testamentaire. Dans *Bravo,* elle se projette dans le futur, s'imagine en l'an 2000, oubliée du public qui l'a jadis idolâtrée : « Donnez-moi un bravo/ Comme au temps des rappels/ Si quelqu'un se rappelle... ». Elle se voit brisée, perdue, accrochée aux restes d'une gloire fanée : « Je vais me maquiller/ Attendez vous verrez/ Que je peux être belle/ Comme au temps de Bruxelles...[11] ». Sinistre reflet d'elle-même que celui-là. Au lieu de se confronter à la Yolanda de sa jeunesse, elle affronte le miroir d'une Dalida vieillissante qui n'existera jamais. Une Dalida qui se souvient, la voix blanche et la main tremblante. Le double, encore.

C'est sur le même disque qu'elle chante *Mourir sur scène,* sans doute la plus connue de ses chansons autobiographiques. Ici, elle s'adresse à la mort, l'interpelle directement, fait de nouveau allusion à son suicide manqué : « Toi et moi on se connaît déjà/ On s'est vues de près souviens-toi... ». Par la même occasion, elle fait savoir à la faucheuse qu'elle seule décidera du moment où l'une et l'autre se rejoindront : « Moi qui ai tout choisi dans ma vie/ Je veux choisir ma mort aussi...[12] ». Le propos rappelle celui d'*À ma manière.* Pour la seconde fois

---

11. *Bravo,* texte de Michel Jouveaux, musique de Patrick Roffe et Marc Hillman, éd. EMI Songs France, 1983.

12. *Mourir sur scène,* texte de Michel Jouveaux, musique de Jeff Barnel, éd. Tabata Music/EMI Songs France, 1983.

en deux ans, elle laisse entrevoir clairement sa possible désintégration. L'idée d'une mort volontaire, et dont le spectre rôde encore entre les lignes de *Téléphonez-moi,* une chanson si troublante qu'on se demande ce qui a pu la pousser à l'interpréter, sinon le désir de lancer un cri de détresse, d'en appeler à l'intervention d'une main secourable susceptible de la tirer du marasme dans lequel elle s'enlise : « Sans vous toute ma vie ne tient qu'à un fil[13] ». De nouveau, elle fait état de sa solitude en des termes qui rappellent encore et toujours l'événement traumatisant qu'on ne risque plus d'oublier : « les pilules d'espoir/ J'en prends tous les soirs ». De nouveau, elle laisse entrevoir un suicide éventuel, en usant pour cela d'un stratagème inattendu. Au dernier couplet, elle s'identifie ouvertement à l'héroïne d'un roman américain adapté pour le cinéma : *La vallée des poupées,* de Jacqueline Susann. L'histoire d'une vedette qui, la chanson nous le rappelle, s'enlève la vie un soir de 31 décembre. Un autre effet de miroir, un double de plus ; l'intrusion chez Dalida d'une nouvelle messagère de la mort pour donner à la chanson une allure tristement prophétique.

13. *Téléphonez-moi,* texte de Jean-Michel Bériat et Orlando, musique de Bernard Estardy, éd. Mandarine/EMI Songs France, 1983.

*
* *

La star déchue

Vue de loin, la scène est grotesque. On se croirait presque au cœur d'un roman-savon de fin d'après-midi. À l'écran, une femme hirsute tient dans sa main un récepteur téléphonique. La femme geint, se lamente, se répand. Se recroqueville. Berce le récepteur comme s'il s'agissait d'un bébé. Et laisse choir ce récepteur sur le parquet. En tombant, il fait du bruit. Le son sec et sourd d'une détonation. La femme s'écroule.

La femme, c'est Dalida ; à l'œuvre dans un sketch mélodramatique télédiffusé en 1983. Le rôle est celui d'une star déchue, vestige d'une ancienne idole dont la gloire révolue doit faire l'objet d'un film. Une star pleure sa jeunesse en cendres, un passé qui ne lui appartient plus ; une femme hurle sa douleur d'être seule, sans amour, sans enfant. Variation sur un air connu.

Vu de loin, c'est du théâtre. On pourrait même penser que c'est du théâtre d'assez mauvais goût. Un ramassis de clichés, la nouvelle version d'un air mille fois rabâché depuis que le star-system existe. Joué par une autre que Dalida, le personnage serait risible. Mais voilà : c'est Dalida, justement, qui hurle devant les caméras. Dalida qui se cache (à peine) derrière un personnage qui n'est pas elle, mais qui lui ressemble comme une sœur. Les mots de la star déchue sont à peu de choses près ceux qu'elle chante pour parler d'elle-même. Seul écart réel entre la chanteuse-comédienne et son personnage : la dignité de la première et l'impudeur de l'autre.

Ce n'est pas du théâtre. Encore moins de la variété. Surtout pas du divertissement. Le numéro n'a rien d'une production artistique dont on pourrait évaluer la qualité en fonction de critères esthétiques. On ne peut pas dire que ce soit bon ni mauvais : de telles épithètes ne s'appliquent pas. Pas plus qu'elles ne s'appliquent aux dernières chansons autobiographiques de Dalida. Aux chansons des autres, peut-être. Mais pas aux siennes.

Les textes sur la douleur d'être star, les chansons sur les revers de la gloire, le répertoire français en compte beaucoup. Il en compte même tellement qu'on ne les remarque plus. C'est Johnny Hallyday qui « a oublié de vivre », Sylvie Vartan qui se plaint d'être « seule sur [son] *île », Serge Lama qui regrette de vivre « entre parenthèses ». Tant de vedettes qui disent au public le fossé entre la joie qu'elles affichent sur scène et la solitude qui les accable après le spectacle ; tant d'artistes qui nous confient leur difficulté d'être ; tant de chanteurs qui nous rappellent que tout n'est pas rose au ciel des élus de la gloire ; tant et tant qu'il est difficile de les prendre au sérieux. Tout ça n'est que séduction. Une obligation professionnelle, le moyen de se faire pardonner une réussite inaccessible au commun des mortels. On a certes, si ça nous chante, le droit d'être ému. Ému, mais pas dupe. Hallyday, Vartan, Lama et les autres sont toujours debout. Plus vivants que jamais, des années après en avoir appelé à la compassion du public. Tous, toujours vivants. Mais Dalida...*

Le monologue de la star déchue, des chansons comme Téléphonez-moi *ou* Bravo, Ensemble *ou* À ma manière, *rien de tout ça n'est du théâtre. Ce sont les pièces d'un* reality show *avant l'heure, un spectacle-vérité au dénouement prévu, annoncé. Toute ressemblance avec une situation réelle n'est pas que fortuite. Ce n'est pas du théâtre : c'est, par petites touches, l'expression brute de l'affliction, le chant lumineux d'un s.o.s. Rien à faire : ça ne s'évalue pas. Ce n'est ni bon ni mauvais. C'est là, tout simplement, offert en partage au public, qui a le choix de rester de marbre ou de se laisser toucher. C'est là, brutal, à vif. Ça se constate : ça se refuse ou ça se reçoit.*

*
* *

LE NŒUD DE LA BOUCLE

La chronique d'une mort annoncée inscrite dans les chansons autobiographiques des années 1980 se prolonge, en 1986, dans *Le sixième jour* de Chahine. L'histoire d'une Mère courage qui, après s'être sacrifiée pour s'occuper de son époux paralytique, en fera tout autant (et même davantage) pour son petit-fils malade, symbole de l'Égypte de 1947 ravagée par le choléra. Le sixième jour, c'est le jour où tout se joue ; « le sixième jour ou bien on meurt ou bien on ressuscite[14] ». Le petit-fils de Saddika mourra. Quant à la grand-mère, l'histoire ne nous dit pas ce qu'il en adviendra. Dans le roman d'Andrée Chedid, librement adapté par Youssef Chahine, la lavandière meurt au sixième jour, en même temps que l'enfant. Au cinéma, l'avant-dernier plan du film nous montre Saddika-Dalida dans le port d'Alexandrie, en haut d'un immense escalier extérieur. Filmée en contre-plongée, elle se retourne. Gros plan sur son visage émacié qui découpe le ciel. D'un geste de la main, elle salue. Un salut au-delà duquel tout est possible : la mort, comme la vie.

Ce film est pour Dalida l'occasion de casser une fois de plus son image. Au terme de plusieurs

---

14. Andrée CHEDID, *Le sixième jour,* Paris, Flammarion, 1986, p. 33.

années de danse et de sourires plaqués, elle s'engage dans ce rôle exigeant dont on ne cesse de répéter qu'il ne lui ressemble pas, qu'il fait pour elle figure de contre-emploi. Si l'on en croit le réalisateur, le rôle n'a pas été écrit pour elle. Il semble même que plusieurs actrices l'aient refusé avant qu'il ne l'offre à Dalida. Pensé ou non en fonction de son personnage, le scénario de Chahine explore des avenues laissées vierges dans le roman de Chedid. Saïd, par exemple, l'époux de Saddika : à l'origine (dans le roman), il reste seul lorsque son épouse l'abandonne pour fuir avec l'enfant malade avant qu'il ne soit dénoncé aux autorités. Dans la version cinématographique du *Sixième jour,* le mari de Saddika se suicide. Même si Dalida se prête ici à un rôle de composition, il n'en reste pas moins que cet événement du film nous remet en mémoire, par ricochet, l'un des éléments sur lesquels se fonde la légende dalidienne, soit le suicide de trois de ses compagnons : Luigi Tenco en 1967, Lucien Morisse, en 1970, et Richard Chamfray, en 1983.

Le scénario, par ailleurs, confronte Saddika à un jeune montreur de singes baptisé Okka. Relativement effacé dans le roman d'Andrée Chedid, il se gonfle, sous la lorgnette de Chahine, d'une tout autre dimension qui fait de lui un double de Dalida. Vu par le cinéaste, Okka est un baladin (comme dans le roman) qui rêve de *show-business* à l'américaine (ça, c'est nouveau). Fasciné par Gene Kelly, à qui le film est dédié, Okka perçoit chez Saddika autre chose que ce qu'elle est. Sous les traits de la femme prématurément vieille, dont il s'éprend, il devine une princesse, une star en puissance. Son intuition se confirme au moment d'une scène de music-hall qui le met en valeur. Dans un décor de carton-pâte, clin d'œil aux comédies musicales des années 1950, Okka chante et danse. Soudain, d'un mouvement brusque, il arrache le voile de Saddika. Il découvre, éberlué, la chevelure cachée de la grand-mère, ravi de ce qu'elle soit blonde. Okka est plus convaincu que jamais que la grand-mère est une princesse ; quant au public, il ne peut plus oublier, à supposer que la chose ait été possible auparavant, que Saddika camoufle Dalida. Les cheveux ont parlé : Saddika est une Dalida masquée. Une femme-spectacle refoulée que tentera, tout au long de l'histoire, de ranimer le jeune Okka qui projette en elle son propre rêve d'accéder à la célébrité.

Sitôt le film en salle, la critique salue presque à l'unanimité la Dalida comédienne dont on dit qu'elle révèle enfin l'étendue de son intensité dramatique, montre sur le tard ce qu'elle tenait si bien caché. Manifestement, la Dalida *show-girl* des années 1980 a fait oublier la tragédienne des années 1970, celle qui réinventa Ferré et Lama, celle d'*Et tous ces regards* et de *Mein Lieber Herr.* Sans oublier celle qui, le corps criblé de paillettes, laisse deviner sa fin depuis six ans. Après trente ans d'une carrière fondée sur le rêve d'être actrice, Dalida figure en première page des *Cahiers du cinéma.* Une autre forme de consécration. Et si le public français ne réserve qu'un accueil discret au long métrage de Chahine, la réception égyptienne, elle, semble nettement plus chaleureuse. Pour la première projection du film en Égypte, le réalisateur a porté son choix sur une banlieue du Caire : Choubrah, le village natal de Dalida. En route vers le cinéma du quartier de son enfance où aura lieu la projection, la vedette est au cœur d'un cortège qui passe devant la maison où elle a grandi. Elle avait quitté l'Égypte en 1956 pour entreprendre en France une carrière d'actrice, elle y revient trente ans plus tard pour être acclamée à ce titre, forte d'un succès d'estime dans sa patrie d'adoption. Une boucle est bouclée.

Une autre le sera incessamment. Lorsqu'on évoque aujourd'hui le suicide de Dalida, on fait généralement référence au 3 mai 1987, le jour où son corps inanimé a été découvert par son habilleuse. Quand elle est morte, on a plutôt parlé du 2 mai, puisque c'est ce jour-là qu'elle aurait choisi pour absorber quatre tubes de barbituriques. Or, le 2 mai 1987, c'était un samedi : le sixième jour. C'est donc au sixième jour que Yolanda Gigliotti a posé le point final à son œuvre. Une œuvre qui se sera si bien confondue à son existence qu'au moment d'être mise en terre, quelques secondes avant que son cercueil ne descende dans une fosse du cimetière de Montmartre, l'historien Claude Manceron rappellera à son tour la fragmentation d'une femme dévorée par ses doubles meurtriers : « Yolanda, au revoir, Dalida, merci[15] ».

---

15. Valérie Duponchelle, « L'adieu à Dalida », *Le Figaro,* 8 mai 1987.

*
* *

Golgotha

« Courageuse, elle avait gravi comme un calvaire les marches du succès ». C'est Aznavour qui dit ça, dans une chanson écrite vers la fin des années 1980 mais enregistrée en 2000. De la scène à la Seine, *ça s'appelle. « En hommage à Dalida », est-il écrit sur la pochette. Portrait d'une artiste qui a sacrifié son intimité à la vie publique, qui a craqué « à l'heure incertaine où l'on compte les ans », cette heure où « la vie semble vaine, sans hommes et sans enfants ». Aznavour, qui a connu Dalida, qui a écrit pour elle, travaillé avec elle, nourrit à son tour le mythe de la femme immolée sur l'autel de la gloire. Une idée centrale de la légende érigée autour de Dalida : ce qu'on dit d'elle, les textes qu'elle chante. Jusqu'à son corps qui illustre à lui seul le sacrifice auquel il semble destiné.*

Moi, je veux mourir sur scène... *La première fois qu'elle chante ça en public, sur un plateau de télévision montréalais, elle adopte une posture hautement symbolique. Une posture qui rappelle l'un des moments-clés de la tradition judéo-chrétienne. À la voir, c'est forcé, on pense au meurtre de celui qui livra jadis son corps à ses ennemis.*

À la regarder, c'est fatal, on se remémore le sacrifice originel, le geste expiatoire qui devait expédier l'enfant-dieu dans les ténèbres.

Lorsque, le 9 avril 1983, Dalida interprète Mourir sur scène *pour la première fois à la télévision, sa posture est celle du Christ en croix.*

ÉPILOGUE

Dalida, c'est Cléopâtre et Dalila ; Ava Gardner et Mistinguett ; Rita Hayworth et Blanche Dubois. Femmes de légendes, réelles ou fictives, toutes réunies dans un seul personnage. Et c'est Andromaque, la Troyenne d'Euripide. Et la Vierge, mère du Christ. Et le Christ lui-même, au moment de sa mort. Sous le couvert de la dispersion, Dalida est la mémoire de symboles plus ou moins lointains. Un personnage surchargé de sens, l'amalgame de références mythiques réunies dans un prénom, une voix, un accent ; une posture, un geste de la main ; un mouvement de cheveux... et une masse de textes. Des textes chantés ou joués qui forgent une chaîne parfaitement signifiante.

La valeur du travail de Dalida, on le sait, ne se situe pas sur le strict plan littéraire, même si plusieurs de ses chansons résultent d'une plume brillante, d'une écriture serrée. Mais la valeur de ce travail déborde aussi largement le cadre restreint des tristes et bêtes considérations quantitatives que le discours officiel s'échine à faire valoir : la cadence de ses enregistrements, le nombre de ses disques vendus. Des disques, elle n'en aurait écoulé qu'une poignée que son art conserverait toute sa pertinence. La force de Dalida, elle tient au fait que tout ce qui compose son personnage : ses chansons, ses rôles, mais aussi son phrasé, sa gestuelle, ses costumes, et même les éléments connus de son existence, tout ça mis ensemble, ses réussites comme ses errances, tout ça forme un tout d'une implacable cohérence. Tout ça constitue une œuvre en soi.

*
* *

Elle commença par le commencement. Animée par l'irrépressible désir de créer, de transfigurer le réel, elle plongea tête première dans l'aventure. Apprit les rudiments de la vie d'artiste, apprivoisa les lumières artificielles des projecteurs, plus vives que l'éclat naturel du soleil d'Égypte qui l'avait réchauffée jusque-là. Elle commença par le commencement : dota l'œuvre à venir d'un titre qui l'inscrirait dans une continuité ; un titre qui en appellerait à la mémoire de ces ouvrages mythiques dont l'humanité s'abreuve depuis des siècles. Il y eut un soir, il y eut un matin. Yolanda Gigliotti portait désormais en elle les germes d'une création nommée Dalila. *Premier jour.*

Elle se tourna vers Paris, la Ville lumière. Comprit rapidement que le titre qu'elle avait imaginé n'était qu'un titre provisoire, de ceux qu'on donne aux brouillons des livres en gestation. Du coup, elle le ratura, le transforma. Il y eut un soir, il y eut un matin. Dalida *devenait le nouveau point d'ancrage d'une œuvre légère mais déjà plurielle, ponctuée de quelques pages empreintes d'une gravité qui laissait présager une autre version, plus complexe, plus réfléchie. Deuxième jour.*

Il y eut un orage, un cataclysme. Elle risqua d'y laisser sa vie. Tout était à refaire, à reconsidérer. Elle estima qu'elle avait fait fausse route. Qu'à force de se consacrer tout entière à l'élaboration d'une œuvre futile, elle avait vendu son âme au diable. Elle songea à se taire, envisagea de renoncer. Il y eut un soir, il y eut un matin. Yolanda Gigliotti s'engagea dans un périple intérieur qui devait la mener sur les chemins périlleux de la mémoire et du deuil. Troisième jour.

Elle remit son ouvrage sur le métier, relut sans complaisance tout ce qu'elle avait écrit. Elle en récupéra les meilleurs fragments, en fit les bases d'un livre qui serait plus fort, plus essentiel que tous ceux qu'elle avait encore rêvés. Il y eut un soir, il y eut un matin. Page après page, elle rédigea enfin une œuvre solide, incarnée. Réjouie d'y parvenir, ravie d'accéder à un savoir qui lui permettait de pousser toujours plus avant son travail et sa réflexion. Quatrième jour.

Elle crut être arrivée au terme du voyage. Fut la proie d'une nouvelle remise en question. Au lieu de se poser, elle repartit en trombe pour un nouvel ailleurs, opta pour une destination qu'elle avait toujours refusée. S'égara en chemin, revint sur ses pas, repartit de nouveau. Se perdit de vue, victime d'un brouillage, d'un court-circuit qui la laissa presque sans voix. Elle donna le change, joua l'assurance et l'aplomb de celle qui va sans regarder derrière ; celle qui connaît son chemin, certaine de ne jamais se perdre. Il y eut un soir, il y eut un matin. Elle venait de détruire la nuit ce qu'elle avait tissé le jour. Elle avait tant et tant refait et défait son ouvrage que la toile s'en trouvait distendue. Les trous du canevas s'étaient élargis, si bien qu'il lui devenait impossible d'y imprimer la trace de quelque motif que ce soit. Cinquième jour.

À force de s'égarer, elle revint à la case départ : l'Égypte. Là où tout avait commencé. Elle posa son bagage, prit le voile pour mieux se préparer à quitter le monde. Elle fit la rencontre d'une étrangère vêtue de noir, jumelle de cette ombre jadis évoquée par Alfred de Musset dans une Nuit de décembre *marquée par le double. Elle prêta son visage, son corps et sa voix à cette Saddika qu'elle reconnaissait sans l'avoir préalablement rencontrée. Saddika la tragique, Saddika la vraie. Il y eut un soir, il y eut un matin. Elle regarda en face la lumière qui l'avait aveuglée trop souvent, accepta de se livrer aux ténèbres qui la réclamaient depuis des lustres. Elle jugea son œuvre achevée, confia à Saddika le soin d'en rédiger la post-face. Prélude au silence, prélude au repos. Sixième jour.*

Il y eut encore un soir, et encore un matin. La marche du monde se poursuivait sans elle. Tandis que tout autour on s'agitait, pressé de dégager le sens de ce qu'elle avait créé, tandis qu'on prétendait divulguer d'urgence le chiffre d'un ouvrage ésotérique qu'on n'avait parcouru qu'en surface, sans prendre la peine et le temps de le lire et de le relire dans son intégralité, tandis qu'on expliquait, traduisait, salissait parfois la « chanson où elle avait écrit [sa] *vie », Yolanda Gigliotti se reposait, chômait, désormais étrangère à la légende qui s'écrivait à son insu. Septième jour.*

* * *

Je garde avant tout de Dalida l'image d'une pleureuse. L'une de ces femmes qui versent des larmes, jettent des cris, gémissent, se lamentent ; l'une de ces femmes dont le métier consiste à se répandre lors de funérailles auxquelles elles sont conviées, pour soulager les endeuillés d'une douleur qui les enserre, pour verser des larmes réparatrices au nom des affligés. Les réconforter.

Les larmes chantées de Dalida transcendent l'expression de la douleur individuelle – la sienne – pour se faire l'écho du désarroi collectif. C'est pour cela qu'elle touche. C'est une pleureuse, une femme qui offre sa peine en partage, tragique enchanteresse dotée d'un don semblable à celui que des dieux fictifs octroyèrent un jour à la Consuelo de George Sand. *Consuelo* : l'un des portraits de femme les plus saisissants de la littérature française du XIXe siècle.

Elle était chanteuse, la Consuelo. Une chanteuse rare, dotée d'une voix surnaturelle qui agissait tel un baume sur le public qui la chérissait. Une chanteuse, du reste, dont le prénom était à lui seul le gage des grandes espérances. Ce prénom, c'est invariablement le premier mot qui me vient en tête lorsque je pense à Dalida. *Consuelo*... un vocable espagnol.

En français : la consolation.

TABLE DES MATIÈRES

PROLOGUE 9

1. LA FEMME DE PAPIER
TRACES DE DALIDA DANS LA MÉMOIRE COLLECTIVE 17

2. D'ANDROMAQUE À BLANCHE DUBOIS
MOTIFS DE LA MÉMOIRE ET DU DEUIL
DANS L'ŒUVRE DE DALIDA 45

3. LE PASSÉ RECOMPOSÉ
MODÈLES FONDATEURS
DE LA PERSONNALITÉ DALIDIENNE 77

4. KALÉIDOSCOPIE
FRAGMENTATION DU PERSONNAGE DALIDA 113

5. CHRONIQUE D'UNE MORT ANNONCÉE
REGARDS SUR LES CHANSONS AUTOBIOGRAPHIQUES
DE DALIDA 157

ÉPILOGUE 179

Révision : Fannie Godbout
Copiste : Aude Tousignant
Composition et infographie : Isabelle Tousignant
Conception graphique : Anne-Marie Guérineau
Photos intérieures et de couverture : *Écho Vedettes*

Diffusion pour le Canada : Gallimard ltée
3700A, boulevard Saint-Laurent, Montréal (Qc), H2X 2V4
Téléphone : (514) 499-0072 Télécopieur : (514) 499-0851
Distribution : SOCADIS

Éditions Nota bene/Va bene
1230, boul. René-Lévesque Ouest
Québec (Qc), G1S 1W2
mél : nbe@videotron.ca
site : http://www.notabene.ca